우리를 벗어나

KB177973

우리를 벗어나

발행 | 2024년 07월 30일
저자 | 네드레, 상수리, 뜻밖의 얼음나무
펴낸이 | 한건희
펴낸곳 | 주식회사 부크크
출판사등록 | 2014.07.15(제2014-16호)
주소 | 서울특별시 금천구 가산디지털1로 119 SK트윈타워 A동 305호
전화 | 1670-8316
이메일 | info@bookk.co.kr

ISBN | 979-11-410-9846-9

www.bookk.co.kr
ⓒ 네드레 2024

우리를 벗어나

네드레, 상수리, 뜻밖의 얼음나무 지음

이 모든 것은 우리를 벗어나기 위한 발걸음이었다.

서로를 위해 최선을 다한 커플

기묘한 가면에 얽힌 이야기

고민을 해결해주는 로봇과 주인장의 비밀

고독을 선택한 인간의 최후통첩

흐릿하고 희미한 꿈에 공포

이별과 방황에 멜랑꼴리

1988년의 열망

변하는 것과 변하지 않는 것 그리고 변화의 두려움

우리를 벗어나 드디어 자신이 되었다

차례

서문

어린 시절을 함께 해온 벗들과 함께 자신을 찾아 나서는 여정을 시작하게 되어서 무척이나 기쁘다고 생각합니다.

특히나 서로의 자아가 들어간 소중한 글들이 모여 하나의 책으로 엮여 아름다운 청춘의 이야기가 담기게 되다니! 누가 이런 기회를 싫다고 할까요. 잡설이 조금 길었는데 저는 이 책이 아직 우리를 벗어나지 못한 분들께 바치고 싶네요.

아직 자신을 찾지 못한, 즉 우리를 가두는 '우리'라는 곳을 빠져나가기 위한 발판이었던 이 책이 여러 사람들의 탈출구가 되어주었으면 합니다.

아무튼! 아직 우리에서 벗어나지 못한 분들께 그리고 저를 여기까지 오게 해준 아주 소중한 고등학교 2학년 시절에 사서 선생님께 바칩니다.

별과 사랑이야기

은하는 내 여자친구다. 사실 여자친구였다. 진행이 끊긴 것은 얼마 전이다. 어제저녁이 아쉽게도 우리의 마지막이었기 때문인지 아직 진행중인 것처럼 느껴지기도 한다. 함께였을 때는 꽤 밝고 아름다운 별처럼 보였다. 별이 내 눈에 보이지 않게 된 데에는 사라지고 나서와 시간차가 존재한다는데 지금 이별을 실감하지 못하는 것은 사라진 별이 아직 눈에 보이는 것이지, 이별이라는 결과가 오기 전 이미 져버린 별을 이제야 마주한 것인지 조금 궁금하다. 그정도는 물어볼 걸 그랬다. 실감하고 싶지는 않지만 외면한다고 해서 돌아오는 것은 아니다. 오히려 지금 이 침대에서 일어서기 위해서는 기억을 되짚어 직면해야 할 것 같다.

가을의 기억이 가물가물해질 무렵의 겨울. 그중에서도 어제. 구름없이 하늘이 맑아서 밤에 별이 잘 보일 날이었다. 일기예보도 그렇게 말해주었다. 일기예보를 보고 '별이 잘 보인 다라' 정도 생각했을 때 휴대폰 위에 카톡 미리 보기가 나왔다. 체감상 한 박자 늦게 진동이 울렸다.

[오늘 거기서 만나자]

은하의 메시지였다. 오래간만에 만나자는 걸 보니 별을 보러 가기 위해 만나자고 하는 그것으로 생각했다. 한동안 안 만나 긴 했지만, 항상 만나는 곳이 있으므로 '거기서'라고 보내 놓은 것일수도 있다. 평소 별을 보러 갈 때 올라가던 뒷산 입구는 언 제나 약속 장소였다. 휴대폰을 끄고 놓으려고 했지만 시간을 묻지 않았다는 걸 깨닫고 [언제?]라고 물었고 [7시에]라고 답 장이 왔다. 지금에 생각해보면 평소보다 훨씬 단답형이었다. 그 때는 멍청하게 어떤 낌새도 느끼지 못하고 짐을 챙겼다. 담요, 쌍안경, 간식거리를 가방에 챙겨 넣고 욕실로 들어가 머리를 감았다. 참으로 여유로웠다.

6시가 되어 집밖을 나섰다. 두툼한 패딩으로 몸을 감쌌지만 추위는 곳곳으로 느껴졌다. 버스를 타지 않고 걸어가기로 했기 때문에 추위를 느낄 시간은 충분히 길었다. 사실 그렇게 춥다 고 생각하지는 않았다. 오늘은 어떤 별자리를 볼까, 무슨 대화 를 나누려나 등의 생각으로 머리는 바빴기 때문이다. 혼자서 각본을 써내리 듯 갈아엎고 집필하고를 반복하다 보니 약속장 소와 은하가 보였다. 약속 시각보다 30분 이른 시간이었지만 기다리고 있었던 것 같다. 휴대폰을 보고 있었기 때문에 나를 알아채지는 못한 것 같았다.

"일찍왔네?"

간단히 건넨 인사말에 휴대폰을 내리고 은하는 고개를 들었다. 눈이 조금 부어 있었다. 나는 은하에게 "울었어?"라고 물었지만 은하는 숙인 채 고개를 저었다. 붉은 기운이 맴도는 눈 속에는 평소의 별빛 같은 반짝임이 잘 보이지 않는 느낌이었다.

곧이어 나는 이별을 선고받았다. 눈의 상태를 확인하고자 본 얼굴이 마지막 눈 맞춤이었다. 내게 선고를 내린 그녀는 자리에서 잠시 그 자리에 머물고 있었다. 나의 표정을 구경하려는 것처럼 잠시 그렇게 시간을 보내고는 춥고 황량한 재판장을 떠났다. 나는 항소는 커녕 그 자리에 서서 떠나가는 뒷모습을 눈에 담고만 있었다. 멀리 걸어가는 은하의 뒷모습이 그다지 빠르지는 않지만 내 발걸음으로는 쫓아가지 못할 것처럼 느껴졌고 나는 그러했다. 가끔 멈춰서는 것 같았지만 달려갈 용기가 나지 않았다.

어깨에서 흘러내린 가방을 올려 매고 온 길을 다시 돌아왔다. 돌아가는 길에도 버스를 이용하지는 않았다. 하지만 훨씬 느려지고 나약해진 걸음으로 집으로 돌아왔다. 어깨에서 흘러내리는 가방을 저항 없이 풀어주고 옷을 의자에 걸어둔 채 침대에 쓰러지듯 누웠다. 결국, 언젠가 벌어질 일이기는 했겠지만 아직 상황을 제대로 받아들이지 못하고 있다. 아직 내 눈앞에는 은하의 눈물 자국이 남아있고 내 몸에는 추위 섞인 바람이 흘러

들고 있었다. 쫓아가서 이유를 묻고 사죄를 빌었어야 했다는 생각이 들었지만 내 죄를 전혀 모르는 입장이 아닌 나는 이미 은하를 이해했다. 다가가서 붙잡고 질문을 던져 내 죄를 마주하는 것을 회피했다.

우주에 떠돌던 작은 물질이 우연히 뭉치면 질량이 증가한다. 그곳에서 중력이 발생하고 점차 거대해진다. 별은 아마도 그렇게 생겨난다.

옷도 갈아입지 못했는데 내 첫 이별의 날은 어제가 되었다. 오늘이 된 날은 주말이었기 때문에 아무런 일정이 없었다. 몸을 일으켜 아무런 생각 없이 창가로 기듯이 걸어갔다. 구름이 장식일 뿐인 높고 깨끗한 하늘은 눈앞을 흐리게 만들었다. 괜히 식은땀이 나오자 그제야 어제부터 씻지 않고 있었음을 깨달은 수 있었다. 옷을 전부 벗어 세탁물 위에 던져둔 채 욕실로 들어갔다. 차가운 물을 빼고는 따뜻한 물이 나올 수 있을 때까지 틀어둔 채 가만히 지켜보고 있었다. 그동안 잠시 거울을 바라보니 눈가에 자국이 보였다. 물이 흘러내려 가는 것을 보고 있으니 시간이 금방 물은 따뜻해졌다. 괜히 심호흡을 한 번 내쉬고 몸을 온수로 적셨다. 몸이 나른해지면서 머릿속까지 평화롭고 따뜻해지는 것처럼 느껴졌다.

몸을 씻고 옷을 갈아입은 뒤 의자에 앉은 채 휴대폰을 바라봤다. 그리고 2분 정도 있었더니 진동과 함께 화면이 켜져 무슨 일인지 확인했다. 나를 부른 것은 아쉽지만 광고문자였고 다시 몸에서 힘이 빠졌다. 침대에 누워서 휴대폰이 언제쯤 울릴지 한심하게 지켜보고 있는 동안 어딘가 답답해지기 시작했다. 몸을 어떻게든 움직여야겠다는 생각과 바깥 공기가 부족하다는 생각이 겹쳐 나는 밖으로 나섰다.

따갑게 푸른 하늘. 떨릴 정도로 차가운 바다. 최근 들어서 이렇게 날씨가 심해진 줄은 몰랐다. 언제나 하던 외출이지만 이렇게나 다른 기분은 처음이다 어쩌면 당연하지만 외출이라는 행위가 일상에 스며든 것은 은하를 만났기 때문이고 혼자서 걸어다녀 본 적이 까마득하다. 그래서인지 앞만 보고 걷는 것이 너무도 어색하다. 괜히 걸음 속도를 높였다.

집에서 나와 익숙한 길로 15분 정도를 걸었다. 그러다 보니 도착한 버스 정류장 앞 1분 정도 떨어진 곳에 있는 편의점 앞

횡단보도. 신호에 걸리지는 않았지만 잠시 멈춰 서서 길모퉁이를 바라봤다. 너무도 많은 추억이 눈 앞에 펼쳐지듯 흘러갔다. 은하와 처음 만난 곳, 지금 내가 이러고 있는 이유는 이곳에서 시작됐다.

"혹시 잠시 도와주실 수 있을까요?"

언제나처럼 아르바이트를 가는 길에서 누군가 끼어들어 말을 걸었다.

"저희가 설문조사를 하고 있는데 혹시 괜찮으실까요?"

고등학생쯤 되어 보이는 앳된 얼굴과 대학생의 정석으로 보이는 옷차림을 한 소녀가 한 손에 태블릿PC를 들고 나를 멈춰세웠다.

"예… 괜찮습니다…"

평소보다 조금 일찍 나온 덕분에 시간이 남았다. 시간이 부족하다는 거짓말은 아쉽게도 하지 못했다.

"아, 감사합니다! 저희가 지금 대학생분들을 대상으로 해서 설문조사를 받고 있는데요, 이게 답변을 모아서 프로젝트에 반영하는 거라서요. 간단하게 답변만해주시면…"

결국 어디에 쓰는 것인지도 못 들었지만 태블릿에서 객관식 설문을 하고 빠져나올 수 있었다. 이후 신호등을 보니 남은 시간이 2초였다. 결국엔 내 앞을 지나가는 차들을 보고 내 앞으로 지나가는 좌회전 자동차들을 보며 한참을 서 있었다. 사람이 많이 다니지 않는 시간대에 다니지 않는 위치였기 때문에 옆의 소녀도 주변을 두리번거리는 것이 느껴졌다. 뭐 하고 있나 궁금했지만 눈이 마주칠까 봐 신호등만 바라보다 도망쳤다.

"잠시 시간 괜찮으세요?"

언제나처럼 아르바이트를 위해 지나가던 길에서 누군가 나를 불렀다.

"저희가 설문조사를 하고 있는데 얼마 안 걸리거든요."

나는 휴대폰을 잠시 켜서 시간과 날짜를 바라봤다. 어제와 시간은 비슷했지만 날짜는 확실하게 달라져 있었다.

"시간은 있는데요…"

소녀는 금방 태블릿을 보여주며 재잘재잘 설명을 이어갔다. "감사합니다!"부터 프로젝트가 어쩌고, 어제보다는 좀 더 많은 정보를 알 수 있었지만 무슨 얘기인지 여전히 알 수 없다. 나는 가만히 보고 있다가 "이거 이미 했는데요."라고 말하자 소녀는 갑작스레 조용해졌다. 강아지한테 물을 끼얹는 것 같은 기분이 었다. 마침 신호등이 초록색으로 바뀌었고 나는 도망치듯이 건너갔다.

이 일은 수요일, 목요일에도 이어졌다. 소녀는 내 얼굴을 단 한 번도 기억하지 못한 채 매번 같은 요청을 해왔다. 그리고 나는 매번 같은 밀로 소녀를 실망하게 했고 신호를 기다리며 도망쳤다. 오늘도 나는 아르바이트를 위해 그 길로 갔고 이제는 또 만날 수 있을까 궁금해지기도 했다. 오늘도 소녀는 그곳에서 태블릿을 들고나와 눈을 마주쳤다. 하지만 내게 말을 걸어오지는 않고 고개로만 인사했다.

"안녕하세요." 내가 먼저 인사를 건넸다.

"네, 안녕하세요." 맑은 목소리로 내 인사를 받아주었다.

"오늘은 설문조사 요청 안하시나요?"

"이미 해주셨잖아요…"

부끄러운 게 있는지 고개를 조금 숙이며 눈을 피했다. 드디어 내 얼굴을 기억해준 것 같아서 뿌듯하기도 했다.

“아르바이트하시는 거예요?”

나는 그냥 물어본 거지만 누군가 본다면 작업을 거는 것처럼 보였을 것 같다. 물론 내게는 그럴 용기와 욕망이 그다지 없다.

“네, 방학 동안 할 게 없어서요.”

“저도 이 앞에 도서관에서 아르바이트하거든요.”

별로 의미 없는 말을 하고 나서 “수고하세요”라고 인사하며 바뀐 신호를 따라 건너갔다. 너무 쓸데없는 말을 했나 싶었다. 앞으로 다른 길로 가게 될지도 모르겠다.

오늘따라 도서관에서 해야 할 일이 많지는 않았다. 앞에서 어쩐 일로 업무를 다 해치우고 간지라 대충 한 번 훑어보고 접수대에 앉았다. 괜히 노는 것 같지만 내가 할 일이 남지는 않은 터라 책이나 좀 읽고 있기로 했다. 천체에 관한 내용을 담은 책을 읽기로 했다. 이러고 있다가 간혹 요청사항이 올 때만 슬쩍 일어나 돈 받을 자격을 증명하면 시간은 금방 흘러간다. 여유는 즐길 수 있을 때 즐겨야 한다. 하지만 어쩐지 오늘따라 시간은 잘 가지 않았고 책은 금방 질렸다. 그렇게 아무 생각 없이 문 쪽을 바라보며 그저 그러고 그런데 소녀가 찾아온 것은 꽤 놀라온 사건이었다.

"안녕하세요."

"예?"

갑작스레 다가와서 인사를 건네는 그녀에 아무런 반응도 하지 못하고 말 그대로 어리버리하였다.

"어쩐… 일이세요?"

"오라고 하신 거 아니었어요?"

서로 테이블을 가운데에 두고 어색한 시선을 주고받았다. 어쩐지 작업을 거는 것 같다는 느낌은 나만 받은 것이 아니었던 모양이었다.

"근데 제가 아직 안 끝나서요…"

소녀는 주변을 살피더니 돌아서 내 옆쪽으로 들어왔다. 그러고는 옆에 있던 작은 의자에 앉았다. 나는 상황을 바로 받아들이지 못하고 조금 거리를 뒀다. 그 상태로 잠깐의 정적이 흘렀다. 내가 눈치를 슬쩍슬쩍 살피는 동안 소녀는 주변을 구경하고 있었다. 모든 게 신기하다는 듯 느낌이었다.

뭔가 책임감이라는 기분을 느낀 나는 먼저 질문으로 공백을 깼다.

"이름이 어떻게 되세요?"

"아, 저는 구은하라고 해요."

"저는 유성유이빈다."

은하라는 소녀는 놀란 듯 눈을 동그랗게 떴다.

"이름이 유성우에요?!"

놀란 탓에 목소리가 커진 바람에 나는 조용히 하라는 경고를 할 수 밖에 없었다. 은하 씨는 입을 양손으로 막고 주변을 살폈다. 도서관에 사람이 없다시피 한 것이 다행이었다.

"되게 예쁜 이름이네요." 은하 씨가 속삭이듯이 말했다. 이후 내 이름을 곱씹듯이 반복해서 읊조렸다.

"제가 기억력이 안 좋아서… 노력해볼게요."

알겠다고 말했지만 사실 지금 상황에 대해 이해가 잘 되지 않는다. 이 여자는 왜 여기서 이러고 있을까. 이렇게 사교적인 사람은 나와는 사는 세계가 너무 달라서 이해하려 해도 되지 않는다. 이런 식으로 친구를 사귀는 건가…

"우와, 이건 무슨 별자리에요?"

은하 씨가 내가 읽던 책을 짚으며 물어봤다. 내가 읽고 있던 페이지는 '말머리 성운;에 관한 이야기가 담겨있었다. 나는 "별자리는 아니고 성운이라고 하는 거예요."라고 말했고 은하 씨는 "에?"같은 반응을 보이고 잠시 고민을 하더니 "다른…거에요?"라고 물었다. 지금 신나서 설명을 시작하면 그건 분명히 하수의 행동이라는 것을 알고 있기에 대충 "예쁘죠?"하고 얼버무렸다.

30분 정도 이런저런 이야기를 나눴다. 둘 다 현재는 방학을 맞은 대학생이라는 것과 아르바이트를 한 지는 얼마나 됐는지 같은 사소한 얘기를 나눴다. 은하 씨는 끊임없이 재잘거렸고 나는 무안하지 않도록 열심히 반응을 노력했다. 적당히 "오~", "그렇네요." 같은 무미건조한 리액션에도 은하 씨는 "그쵸 그쵸! 근데 그게요."라면서 금세 새로운 대화 주제로 나의 말라비틀어진 공감 능력을 자아냈다. 어느 정도 통하는 부분이 많아서 대화는 이어질 수 있었다. 유튜브나 인스타에 저장해둔 수많은 개, 고양이를 포함한 동물들의 모습, 대학을 한 학기 지내고서 생긴 고충들이라던가, 별이나 밤하늘을 예쁘다고 생각하는 부분들에서는 확실히 공감했기에 나름대로 대화가 이어졌다.

시간은 금세 흘러 퇴근 시간이 되어 짐을 챙기고 나갔다. 원래 할 일이 없는 날이었지만 좀더 시간이 빨리 갔다던가, 너무 놀았다고 생각이 들어서 죄책감이 생기는 기분이 들었다. 내가 짐을 챙기자 은하씨도 짐을 챙겼다. 내가 나가자 은하씨도 따라 나왔다. 문을 잠근 후 밖 공기를 잠시 누리고는 이제부터 어떻게 해야 하는지는 전혀 몰랐기 때문에 소매를 만지작거리며 눈치를 살폈다.

"그럼 가볼게요~"

은하 씨는 휴대폰으로 시간을 한 번 보고 인사를 전했다. 나도 몸을 약간 숙여 인사하고 작별했다. 도서관으로 올 때까지만 해도 따뜻했던 공기가 어느새 기분 좋은 서늘함으로 길을 가득 채웠다. 바람이 내 뒤로 불어 그 방향으로 아무 생각없이 고개를 돌렸다. 바람이 닿는 곳을 바라보자 그 흐름에 흐트러진 검은 머리를 정리하는 은하씨의 눈빛이 있었다. 괜히 걸렸을까 부끄러워서 고개를 돌리고 도망치듯 달려서 집으로 돌아갔다. 그날의 꿈에서 하루가 다시 재생되어 도무지 잠을 이루지 못했다.

나는 지금 설문조사가 없는 그 횡단보도 앞에 서 있다. 복잡하고 귀찮은 머릿속을 정리하기에는 좋지 않은 위치 선정이었다. 집에만 있었더라면 차라리 정리가 편했겠지만 외출이 습관이 된 탓에 밖으로 나와 추억을 되짚어보게 되었다. 아무래도 이별만으로 내게서 사라지지는 않을 모양이다. 목적없이 걷다 보니 지루해졌고 굳이 외출을 할 이유가 없어졌다고 생각했기에 집으로 그냥 돌아갔다.

집에 와서 옷을 갈아입고 침대에 누웠다. 할 게 없다는 생각은 당연하지만 안과 밖의 문제가 아니었다. 휴대폰을 켰다. 배경화면은 은하가 바꿔 둔 은하의 사진이다. 별 구경을 하고 집으로 가던 길에 가로등 아래에서 찍었던 나의 배경 사진은 은하가 마음에 들어 했던 사진이었다. 언젠가 바꾸겠지만 일단은 내버려 두기로 했다. 무엇을 할까 생각하다 인터넷을 켜서 검색창에 '이별 후'라고 입력하고 검색했다. 제일 위에 뜬 글은 '이별 후에 당신이 해야 할 일'이라는 제목이었다. 간혹 인터넷은 내 마음을 읽는 것 같은 느낌이다. 글에 들어가서 서두를 읽었다. 잔인하게도 제목의 내용을 순서대로 차근차근 정리해둔 글이었다.

'첫 번째, 충분히 눈물을 흘리세요.'

눈물을 흘리라는 간단한 내용. 뭐랄까 눈물이 나야 할 것 같지만 눈물이 나지는 않는다. 나쁜 사람이 된 것만 같은 기분. 물론 이별이 예고된 일이었기 때문인 것 같다. 나는 무심했고 게으른, 연락을 먼저 하지 않는 남자친구였다. 반면에 은하는 항상 내게 연락을 했고 좋은 연인이었다. 나태한 것에는 언제나 어쩔 수 없다는 변명이 존재했다. 이런 합리성으로 나는 편한 연애를 해왔던 것 같다.

'두 번째, 헤어진 이유와 사실을 인지하세요.'

운이 좋게도 조금 전에 다시 한번 복기를 완료했다. 운이 좋다는 생각은 꽤 비참하다거나 잔인했지만 긍정적인 생각으로 상황을 타개해보고자 했다. 이것 또한 조금 합리적인 변명이다. 사랑하는 사람이라기에는 조금 거리가 있는 사이. 내가 그렇게 만들고 거리를 좁히지 못했다는 것이 미안했다.

다음은 갤러리를 정리하라는 것이었다. 이건 할 수 있겠다. 싶어 바로 갤러리를 켰다. 사진은 많이 찍는 편은 아니어서 사진이 많지는 않다. 빠르게 해치울 수 있겠다. 일괄 선택으로 사진들을 골랐다. 은하와 만남 이후에 사실상 모든 사진은 은하였기에 고르기 어렵지 않았다. 제일 처음 찍었던 사진은 밤하늘을 배경으로 한 은하의 근접 사진이었다. 밤하늘이 예뻐서 찍고 있었는데 은하가 자신도 찍어달라고 끼어들었던 사진이다. 이때는 사귀기 전이었다. 그때 찍었던 밤하늘은 언젠가 다시 가고 싶을지 모르니 남겨두기로 했다. 혹시나 엄한 사진을 지우지는 않을까 천천히 사진들은 하나하나 살폈다. 나는 사진 속에서 계속 굳이 지우지 않아도 될 이유만을 만들고 있다. 언뜻 보면 나 같은 멍청한 사람 정도는 설득할 수 있을 정도의 변명들이었다.

결국, 살펴본 사진 중 절반 이상은 지우지 않아도 되겠다고 생각했다가 문득 '이게 뭐 하는 건가' 싶어서 끄고 배게 옆에 던졌다. 이불로 얼굴을 덮고 자신의 한심함에 대해서 몸부림쳤다. 소위 말하는 현타 같은 느낌이었다. 창문이 닫혀있는 걸 확인하고 혼자 소리치며 침대위에서 펄럭거렸다.

"이게 뭐하는 거야."

소리를 한 번 지르고 나니 몸에 힘이 빠졌다. 천장을 가만히 보고 있으니 기분이 이상했다. 뭔가 가슴이 울렁거리는 듯하더니 그 기분이 머리 쪽으로 올라왔다. 얼굴 옆에 찝찝하고 따뜻한 것이 느껴졌다. 나는 어쩌다 보니 아까 글의 첫 번째 목표를 달성하고 말았다. 슬픔과 분노가 이제야 몰려왔다.

"아… 젠장."

글의 목표와는 조금 멀었지만 울었다는 목표는 해소했다. 슬픔은 어디서 나오는 것인지 사실 모르겠다. 분명 사랑을 나누며 행복한 시간을 보냈던 것 같지만 이제 와서는 정말로 사랑에서 비롯된 시간이었는지 자신을 의심하고 있다. 복잡한 마음을 그냥 ;나는 이별을 슬퍼하고 있구나' 라는 멍청한 안도감으로 정리해서 처리하고 나니 한심하다는 자괴감으로 이어졌다. 이제는 침대 위를 열심히 망칠 기력조차 생기지 않았다. 생각은 어느새 다시 돌아와서 '나는 정말 은하를 사랑했던 걸까?' 라는 의문이 됐다. 몇 개월을, 한참을 만나고는 헤어지고 이런 생각을 하고 있다. 웃으며, 즐겁다며 보낸 시간을 의심하고 있다. 그렇지만 이런 생각은 잠시 멈춰두기로 했다. 이미 너무 지쳐버린 탓에 눈이 감긴다. 지금 또 잠에 들면 하루가 너무 쓸모없어지겠지만 지금은 잠이라도 자지 않으면 자괴감만이 관측될 것 같다.

별의 수명은 보통 탄생에 정해져 있다. '짧고 굵게, 가늘고 길게' 라는 표현이 들어 맞는다.

다시 눈을 떴다. 완전히 쨍하게 밝지는 못하지만 봐줄 만한

색으로 장식된 하늘. 뜨고 있는 것인가 지고 있는 것인가 잠시 고민을 했지만 해가 있는 곳은 동쪽이었다. 해가 서쪽에서 뜬 날이 아니었다면 지금은 아침이 밝아오는 중이다. 그렇다면 내게 내일은 출근을 하는 날이 되고 나는 오늘 안에 감정을 조금 추슬러야 한다. 확실히 그래도 상태는 좋아졌다. 이별 후 해야 할 일에서 충분히 눈물을 흘리라는 이유를 어느 정도 느낄 수 있었다. 아직도 휴대폰을 보면 기분이 오묘하고 창밖을 보지 않으면 조금 답답한 것은 여전하기에 무언가를 해야했다. 나는 노란 메신저로 들어가서 친구를 찾았다. 여담이지만 제일 최신 메시지는 광고였고 그 아래는 은하였다. 친구가 많지는 않지만 언제나 연락을 해볼 수 있는 친구는 하나 있다. 고등학교 때 만난 가장 가까운 친구 녀석이다.

[야]

내가 부르자 대략 5분 정도 있다가 답장이 왔다.

[왜]

[술]

[? 갑자기 개 뜬금없네]

[나 헤어졌다]

5분 정도 다시 조용해졌다.

[형이 사준다]

[10분에 편의점 앞에서 보자]

[ㅇㅇ]

오늘도 외출이 생겼다. 술은 잘 마시지 않지만 지금 상황에서 떠오르는 것이 그것뿐이었다. 원래 술을 마시는 일이라고는 많아야 한 달에 한두 번, 심지어 오늘은 날 부축해줄 은하도 없으니 이거야말로 완전히 새로운 일이 될지도 모른다.

"자자, 그래그래… 헤어지셨다고"

친구 놈이 내 술잔에 술은 따랐다. 나도 술을 따라주었다.

"일단 마셔봐!"

쓰다, 확실히 맛이 없기는 하다.

"와, 참 오래 만나기는 했다."

이놈도 한 잔을 함께 들이마셨다. 술잔을 내려놓고 안주를 한 입 먹더니 이런 저런 얘기를 늘어놓았다.

"진짜 연애하는 거 보기 좋았는데. 약간 동생 연애 보는 것 같은 느낌? 니가 조금만 사교적이었다던가 그랬으면 훨씬 오래 만나지 않았을까. 아, 근데 아쉽다. 나 여자 하나만 연결해주고 헤어지지……라고 하면 안되겠지?"

혼자 마시는 것보다는 누가 함께 떠들고 있어 주니 마실만 한 것 같다. 눈치를 조금 봐야겠지만 지금 내가 때릴 생각은 없으니 다행일 것이다.

"야야, 저기 봐봐. 겁나 이쁘지 않냐?"

가게의 통유리 앞 횡단보도에 한 여자가 서 있다. 슬쩍 보고는 눈을 돌렸다.

"뭐야, 더 안 봐?"

"뭘 봐….

부정하기는 했지만 생각해보면 안 볼 이유도 딱히 없다. 남자가 이쁜 여자를 안 볼 이유가 있겠는가 싶지만 뭔가가 나를 막아서는 기분이다. 물론 이제 나를 혼낼 사람이 없으니 거리낄 것이 없다. 그러나 아직까지는 여자에게 눈길을 뺏기는 것이 무섭다.

술을 마셔서 잊기는 개뿔, 잊지 않기 위해서 술을 마시는 건가 싶은 생각의 흐름.

"그래서 왜 헤어진 건데?"

질문을 받는 나는 고개를 들어 눈을 마주쳤다. 호기심으로 가득 찬 눈망울은 대답해주지 못하는 내게 무언가를 촉구하는 듯했다. 나는 한숨을 내쉬었다.

"몰라"

당황스러워 보이는 눈빛. 머릿속에서 다양한 상상이 오가는 것이 느껴진다.

"내가 잘못한 거지. 그럴만한 게 한두 개도 아니고"

친구는 고민에 빠졌다.

"보통 헤어질 때 이유도 말 하지 않나? 아니, 쓥… 보통 물어 보지 않나?"

내가 부르긴 했지만 혼자서도 잘 논다. 악의 없이 주저리주저리 떠드는 모습은 머릿속이 조금 진정되게 해주었다.

"왜 안 물어봤어? 한 번 연락해서 물어보지그래?"

"됐어. 지금 와서 물어보는 게 더 이상하다. 뭐 흔한 이유 아니겠냐. 내가 열심히 못 챙겨주기도 했고, 질렸을 만도 하고,, 은하는 또 예쁘기도 하고…."

"에이, 생긴 건 너도 괜찮다니까."

"외모고 뭐고 이제 헤어졌는데 무슨 의미냐."

"너 혹시 우냐?"

얘기를 하다보니 코를 들이마셨다. 눈 주변이 조금 축축해진 게 느껴진다. 추태도 이런 추태가 있을까.

"와, 내가 살다 보니 니가 우는 걸 다 본다. 걔한테 감사해야 겠는데?"

"넌 내가 감정이 메마른 그런 사람으로 보이냐?"

"아니, 넌 감정이 메말랐다 보다는 뭐랄까 바지에 표정으로 는 못 알아챘을 느낌."

"에이씨, 드럽게."

"연애하기 전에는 피도 눈물도 없었다가 연애하면서 피는 좀 생긴 것 같았음."

이놈 앞에서 눈물을 흘린 건 확실히 내 기억에도 없던 일이 기는 하다. 사실 범위를 더 넓혀도 누구 앞에서 눈물을 흘린 적 은 딱히 없다. 눈물을 흘리는 건 별로 도움이 안 된다고 어릴 적 부터 조금 엄한 아버지한테 배웠다. 그러다 보니 우는 일은 잘 없었다.

"이 상황에 조금 미안하긴 한데 니가 고백을 받았다고 방방 뛰던 게 생각난다. 난 까여서 우울해하고 있었는데 이젠 니가 그렇네."

"내가 그렇게 기뻐했다고? 아니야…."

은하와 처음 만나고 통성명을 한지 보름 정도가 지났다. 은하의 아르바이트는 그 날이 마지막이어서 설문조사로 만나는 일은 더 없었지만 내게 그걸 알 수 있는 방법은 당시에는 없었다. 내 아르바이트는 목, 금, 토, 일요일이었고 월, 화, 수요일은 딱히 할 일이 없었다. 보통 방학에 아르바이트도 없으면 집에만 있지만 괜히 도서관 쪽, 그러니까 그 설문조사가 있던 곳으로 외출을 했다. 월요일에는 심심하다고 나갔었지만 만나지 못했다. 화요일에는 '굳이 이틀씩이나 나가야 할까' 생각했지만 정신을 차리니 외출을 한 이후였다. 수요일에는 '오늘은 혹시나 만날지도 모르잖아'라고 생각하며 나갔지만 전부 기가 막히게 헛수고가 되었다.

제대로 된 휴식을 취하지 못한 기분으로 목요일이 되어 아르바이트를 갔다. 3일 내내 오래는 아니지만 조금씩 외출을 한 것만으로 피곤해진 나머지 늦잠을 자서 간절하게 뛰어갔다. 신호에 걸리지도 않고 거리의 사람도 한적한 덕에 늦지 않게 도착할 수 있었다. 몸 여기저기에 맺힌 땀에 의해 왠지 찝찝한 하루를 보내게 될 것 같은 기분에 피곤해졌다.

피곤하지만 오늘도 일을 시작해야 한다. 오늘의 시간은 별자리에 관한 책으로 결정했다. 최근에 별을 보러 가지 않은지도 꽤나 됐기 때문에 별자리가 보고 싶었다. 창문을 열고 책 첫장을 열어 속표지로 그려진 밤하늘 사진을 보았다.

"있다!"

문 쪽에서 익숙한 소리가 들려서 고개를 들었다. 내가 열심히 찾아다니던 그녀가 자신의 큰소리에 놀라 입을 가리고 앞에 서서 나와 눈을 마주쳤다. 종종걸음으로 은하 씨는 내 옆에 있는 작은 의자에 다가와 슬쩍 앉았다. 나는 놀라서 별말 하지 못하고 그저 바라볼 뿐이었다.

"오늘은 계셨네요!"

무해한 미소를 장착한 채 속삭이듯이 당황하고 있는 내게 말해왔다.

"어제랑 그저께는 안 계시더라고요. 제가 막 그렇게 찾아온 건 아닌데… 아니 사실 맞는데 심심해서 와봤는데 영 없으시더라고요."

나는 가만히 듣고 있다가 새어나오는 웃음을 참지 못했다. 은하 씨는 나를 이상하게 바라보았다.

"이게 그렇게 웃긴가요?"

"아뇨, 그냥 상황이 재밌어서요."

나의 해명에도 그다지 궁금증이 해결된 건 아니었는지 질문 가득해보이는 표정으로 내가 웃는걸 바라보고 있었다.

"아, 갑자기 웃어서 죄송합니다."

웃음을 어떻게든 멈추는 데에는 성공했다.

"근데 무슨 일로 찾아오셨어요?"

줄문을 받은 그녀는 표정이 의문에서 당황으로 바뀌었다. 우물쭈물 이라는 효과음이 잘 어울릴 만한 해명이 이어졌다.

"그 제가, 여기 와서 친구가 없거든요… 그래서 막 심심한데 뭘 해야하나 하다가 그냥 그나마 최근에 친해진 사람이 여기 있으니까 와봤었는데 또 없으셔서… 근데 그렇다라고 다음날 또 안 심심한게 아니라서 다시 와봤는데 또 안 계시고."

해명을 해명하는 듯 자꾸만 길어지는 하소연에 가까운 말을 듣고 있자니 점점 내 얼굴이 뜨거워지는 것 같았다. 옛날부터 얼굴이 달아오르면 피부가 하얀 탓인지 금방 걸리곤 했기에 바로 눈치를 살폈다. 그러는 동안 눈이 마주쳤고 상대도 만만치 않음을 알 수 있었다. 별반 다르지가 않았기에 우린 서로에게 별말을 하지 못했다. 나는 도무지 이 인싸들을 이해할 수 없겠지만 지금 이 상황을 거부하고 싶지 않으니 점점 심란해진다.

어색한 분위기에 내가 말을 꺼냈다.

"저, 아르바이트는 목요일부터 일요일까지 해요."

…꺼내 놓고 보니 그냥 또 작업이다. 내가 뱉은 말에 또 부끄러워졌다. 그래도 은하 씨는 긍정적으로 받아주었다.

"그러면 내일은 오면 만날 수 있겠네요!"

"그렇긴 한데 이제 놀기는 힘들지도 몰라요."

나는 몸을 한 번 쭉 피고 일어나서 책 반납함으로 갔다. 내 이전 사람들은 건들지도 않은 것처럼 가득 쌓여있다. 분명히 방문한 사람들이 하루만에 채울 양은 넘었다.

"오셨는데 죄송해요. 저번이 이상하게 일이 없던 거라 헛걸음이 됐네요.

"아, 괜찮아요! 음… 그럼 제가 좀 도와드릴까요?"

은하 씨는 내가 기대고 있는 책 반납함에 손을 가져다 댔고 나는 나도 모르게 흐르는 식은 땀을 느꼈다. 큰 소리를 낼 수는 없기 때문에 최대한 부드럽게 내가 알아서 하겠다는 말을 전했다. 단호한 거절에 약간 실망한 것처럼 보이지만 이해심이 충분한 듯한 표정으로 알겠다며 접수대에 앉았다. 컴퓨터는 건들지 말아 달라는 부탁을 하고 책을 몇권 집어서 책을 꽂으러 갔다. 번호를 확인하고 해당 자리로 가서 기호에 맞게 책을 꽂아 넣었다. 구겨지지 않게 넣고 있으니 아마 이 일은 로봇이 해내지는 못할 거라는 잡생각이 들며 일의 속도가 올라갔다.

절반 정도 책을 정리하고 다시 책을 가지러 갔더니 은하 씨가 내가 읽던 책을 읽고 있었다. 다만 글은 눈에 잘 들어오지 않는지 그림에 대해서만 보고 한 장을 넘겼다. 내가 옆에서 약간의 인기척을 내며 정리할 책을 들자 갑작스레 고개를 한번 들고는 눈길을 글로 옮겼다. 속이는 것보다는 속아주길 바라는 듯했다. 모른 체하고 책 정리나 마무리하기로 했다. 정리를 마친 후에는 자리에 앉아 모니터 속의 업무와 싸웠다. 종종 도서관에 궁금한 것이 있는 사람이 질문을 하면 대답을 해주고 다시 키보드를 조금 두드리며 평소의 업무를 이어갔다. 조금 다른 점이라면 은하 씨가 책에서 모르는 부분이 있으면 가끔 질문을 해왔다. 어려운 질문이었으면 나도 검색을 했겠지만 책 속에서 찾을 수 있는 내용들이었다. 한참을 그러다가 할 일은 끝났지만 일이 남은 척 키보드를 두드리고 있었다. 같은 행동들이 반복되다가 시간이 늦어 나는 퇴근하고 은하 씨는 집으로 돌아갔다.

이러한 패턴이 일상이 되어 2주 정도 반복됐다. 그동안 전화번호를 주고 받기도 하고 밥을 먹으러 가기도 했다. 어쩌다 이렇게 친해졌는지 고민을 해보기도 했지만 가끔 인스타에서 봤던 '외향인의 간택'이라는 녀석인가 생각하고 잊어버렸다. 친구 놈은 호들갑을 떨며 "왜 고백 안하는데!!"라며 성질을 냈지만 차인지 삼 일 된 비참한 자신의 연애 이야기를 들려주면서 하는 얘기였기에 이 또한 잊어버렸다. 하나하나 잊고 하루하루 살다 보니 잊어버리고 있던 학교가 날 부를 준비를 마쳤다. 그에 대한 보답으로 학교에 갈 준비를 해야 했기에 도서관에서 남는 시간이 생기면 시간표를 구성하는 데에 집중했다. 옆에서 슬슬 말을 놓은 은하도 시간표를 함께 짰는데 여러모로 다르게 학교에 다닌다는 것을 알 수 있었다.

"이제 개강하면 또 피곤하게 살겠네"

은하가 한숨을 섞어 한탄했다. 시간표를 짜기 귀찮으면 자주 나오는 모습이다.

"힘들겠네. 이번에 하던 알바는 어떻게 하기로 했어?"

"시간이 어떻게 해도 안 되겠더라…내 돈줄이 또 날아간다."

"심심하거나 힘들면 놀러 와도 돼. 난 ㄴ여기 묶여 있을 거니까."

시시콜콜한 대화를 보내는 하루. 학교에 가기 시작하면 이런 시간이 줄어들겠다는 아쉬움이 들었다. 나는 옛날처럼 이곳에서 시간을 보낼 뿐이고 연락은 주고받을 수 있을 테고 가끔은 만날 수도 있을 것이다. 그런 생각에 허무함이 생긴 것은 옷을 맞춰 입고 손을 잡은 채 들어온 한 쌍의 남녀를 봤을 때였다. '저렇게 되고 싶다'라는 생각보다는 '서사람들도 개강하면 못 만나겠지?'라는 생각이었다. 저 깨가 쏟아지는 연인들도 못 만나게 될 텐데 내가 모처럼 생긴 친구를 많이 만나지 못하게 되는 건 당연한 과정으로 보였다. 나는 괜히 말을 많이 하지 않게 됐지만 은하도 오늘따라 말수가 없었다. 휴대폰을 들여다보며 타자 치는 걸 보니 연락이 바쁜 모양이다. 평소처럼 일하고 시간표도 좀 짜다가 민원도 해결하다가 퇴근할 시간을 맞이했다.

"웃샤, 오늘도 가볼까나."

몸을 한 번 쭉 펼치고 옆의 은하를 바라봤다. 내 말을 못 들었는지 휴대폰에 열중이다. 언제쯤 알아챌까 싶어서 지켜보고 있었다. 시선을 느끼고 내 쪽을 바라보는 데까지는 꽤 걸렸다.

"어, 어? 갈까?"

"응, 가자."

은하가 서둘러 나갔다. 나도 불을 끄고 나갔다. 도서관 앞에는 은하가 숨을 조금 거세게 쉬며 날 기다리고 있었다.

"좀 걸렸나?"

은하는 고개를 저었다. 얼굴이 붉게 달아올라 있다.

"무슨 일 있어?"

"아니, 그, 저… 할 말이 있는데."

대충 한 달 정도 본 사이지만 이렇게나 긴장을 하는 모습은 처음인 것 같다. 무슨 말을 하려는 건지 잘 모르지만 '이이 바빠질 테니 도서관은 못 올 것 같아' 같은 말을 하기에는 과도한 긴장 같아 보인다. 갑작스레 '나 시한부야' 같은 말이면 나도 당황하긴 할 것이다. 하지만 그건 또 과한 느낌이다. 혹시 '나 사귀는 사람 생겼어' 같은 것일까? 문자도 그 사람과의 것이었던 걸까? 나름 합리적인 것 같지만 왜 그걸로 나한테 이렇게까지 눈치를 보며 긴장을 하는 것이지 라고 생각하면 또 말이 안된다. 내가 이런 망상들로 머리 속을 한참 팽창시키고 있었더니 은하가 마침내 입을 열었다.

"내가 좋아하는 사람이 생겼는데."

예상했던 부분이 들어맞았다! 예상을 은하수마냥 흩뿌렸긴 했다만 그래도 어쨌든 맞췄다. 다만 기분은 오묘했다. 좋아하지 않았다면 거짓말이다. 그 많은 시간을 같이 지내면서 이야기를 나누고 공감하고 놀러 다니고, 심지어 이 행동들이 내게는 새로운 경험들이었는데 마음이 안생기는 건 솔직히 불가능하다고 생각한다.

"근데 그 사람이, 아니, 아니다, 이건 안 되겠어."

한참을 그러고 중얼거리던 은하가 마침내 고개를 들고 내게 눈을 마주쳤다. 잠시 그러고는 또 멈추는 것 같더니 몸을 완전히 돌리고 내게 정면으로 섰다.

"나, 그… 너 좋아하는 거 같아."

"아, 술 왜 먹냐. 맛대가리 없네."

"지가 마시자 해놓고 미친건가."

나는 기억에 빠지고 친구 놈은 이야기에 빠졌다. 내 연애에 자기가 더 몰입한 것 마냥 지나간 일에 대해서 조언을 해주었다. '연락을 열심히 해야 했다.' '열정을 어필해야 했다.' 같은 충고들로 떠들었지만 다 아는 내용이고 이미 실현하지 못했기 때문에 딱히 듣고 있지 않았다.

"솔직히, 헤어질만 했다."

"나도 알아!"

조금 큰 소리로 얘기를 했더니 주변이 조용해졌다. 나는 일어난 김에 뻘쭘한 마음을 안고 계산대로 갔다. 친구도 따라 일어났다.

"투정 들어주느라 수고했다."

친구의 등을 두 번 두드리고 집을 향해 돌아갔다. 친구는 뒤에서 돈을 보내겠다고 외쳤고 나는 손을 흔들었다. 대낮부터 얼굴이 붉게 달아오른 채로 길거리를 다니기에는 부끄러워서 걸음을 빠르게 돌렸다. 오랜만에 느껴보는 취한 기분에 도무지 정신을 차릴 수가 없다. 방을 알코올 냄새로 채웠다가는 멀쩡한 생활을 할 수 없을 테니 집 문을 열자마자 화장실로 들어왔다. 일단 외출을 했으니 씻어야겠다는 생각에 물을 틀었다. 쏟아져 나오는 물은 차갑고 따갑다. 덕분에 조금은 정신이 돌아온다. 거울과 눈을 마주치니 혼자만 심각한채 꼴값을 떠는 내가 있었다. 자기 자신을 돌아보는 시간은 좋지만 쪽팔린 시간을 줄이고 싶기에 연애 초반 이후로 최고로 열심히 물세례를 맞았다.

별을 보기 위해서는 때와 장소를 잘 잡아야 한다. 이렇게까지 해서 별을 보는 이유는 아름답고 신비롭기 때문일 것이다.

일주일의 첫 아르바이트가 있는 목요일은 내 일주일이 시작되는 날이다. 일어나서 새로운 현실을 또 직시했다. 아직도 술에 울렁이는 걸 보니 간혹 마시는 알코올은 해롭다. 잠이 아직도 깨지 않기 때문에 출근 전 카페인이라는 새로운 물질로 도핑을 시도하기로 했다.

대학생에게 반드시 필요한 시설 중 하나인 커피숍은 다행히도 우리 동네에 존재하고 있다. 공룡기업의 프랜차이즈는 아니지만 깔끔한 디자인의 자영업 커피숍은 어린아이들이 좋아할 메뉴도 많이 팔고 있지만 나는 아직 커피 외의 메뉴를 주문해 본 적이 없다. 어느 카페를 가든 마시는 건 잠을 깨우기 위한 아메리카노거나 단 맛이 강한 커피리로 정해져있었다. 오늘은 잠이 깨는 것이 필요하니 전자의 경우를 택하겠거니 하고 카페까지 걸어갔다. 가게 안은 두세 명 정도가 자리를 차지하고 있지만 시끄럽지는 않고 흘러나오는 잔잔한 음악 소리에 오히려 편안하다는 느낌이 든다. 금방 음료 하나만을 들고 나가기에는 아까울 정도로 마음에 드는 분위기다. 심지어 곧 있으면 점심을 먹은 사람들이 몰려올 테지만 아직 그런 사람들을 마주칠 일도 없다. 계산대로 다가가서 아메리카노를 주문했다. 알바생은 "따로 더 필요한건 없으신가요?"라고 물었다. 질문을 듣고는 잠시 가만히 서서 옆을 봤다. 아쉽지만 옆에는 아무도 없고 내가 마실 음료만 주문하고 계산하면 끝이다.

"네, 그것만 주세요."

알바생은 내 카드로 계산을 하고 커피를 내리러 갔다. 나 혼자 머릿속에서 벌인 갈등이 말 한마디로 정리된 것 같아서 기분이 이상하다. 나름대로 일주일 정도 혼자 앓고 있는 문제였는데 참 쉽다. 남의 관점에서 보는 것이 해결법일지도 모른다는 생각이 든다. 문득 그게 쉬웠더라면 세상에 고민이 없었을 것이라는 사실을 깨달았다. 대충 그런 생각을 하고 있으니 금방 커피를 받을 수 있었다. 받아들고 나와서 다시 길을 걸었다.

도서관으로 오는 길은 생각보다 험난했다. 경찰이 필요하다거나 전 세계가 주목할 일은 아니었지만 내게는 꽤 큰일이었다. 원인은 이제는 식상하기도 하고 질리기도 하겠지만 당연히 미련과 추억이다. 혼자 가는 게 어색했던 커피 가게부터 영화광고, 문방구까지 들어선 길거리는 여러 가지 그림들로 뒤덮이는 듯했다. 다채로운 그림들은 기억으로 덧칠되어 불길한 회상이 시작되었다. 지금 시작된다면 내 머릿속이 외부의 정보를 차단하는 상태가 되어서는 멀쩡한 하루를 방해할 것이다. 잠깐 멈춰서 깊게 숨을 들이셨다. 가슴을 진정시키고 머릿속을 정리하기 위해서였다.

"앗, 죄송합니다."

누군가가 옆에서 부딪혔다. 길 한복판에 멈춰 서있는 것은 당연히 통행을 방해하는 행위일 수 있으니 내 잘못이었다. 나와 부딪힌 사람은 건장한 남성이었다. 다만 옆에는 손을 잡은 여성과 함께였다. 둘은 서로에게만 들릴 목소리로 속삭이며 멀어져갔다. 생각의 흐름은 그들의 뒷모습에서 나를 찾아냈고 그 모습에 얽힌 이야기를 찾아냈다.

연애를 시작하고 내 기분을 정리하자면 '새로운 테마가 시작됐다.'라는 기분이었다. 매일매일 시간이 남으면 메신저로 시시한 대화들을 주고받고, 힘들다고 칭얼대기도 하고, 먹은 메뉴 공유, 읽은 책, 일과 등등 아마 과거였다면 편지를 쌓아 도시의 경관을 만들 수 있을 만큼 많은 이야기를 주고받았다. 간혹 이런 상황이 쑥스러웠지만 잠자리에 들기 전 도서관에서 만나던 일들만 회상해도 의미 있는 시간을 보내고 있는 것처럼 느껴졌다.

하지만 연애와 거리가 멀었던 나는 내가 잘 못하고 있는 것 같아 불안하기도 하다. 노력을 하지 않고 있는 것은 아니다. 무리한 부탁을 먼저 해오지는 않지만 내게로 오는 요구는 전부 들어주고 있다. 물론 전부 귀여운 수준의 부탁들뿐이었다. 저녁에 연락해달라던가, 자기와 대화해달라던가, 인터넷에 있는 성격유형 테스트를 해달라던가 등 안 해주는 것이 미안한 부탁들이었다. 이런 것들로만 내가 노력하고 있다는 것을 어필하는 것으는 아니다. 나름대로 공부처럼 보이는 것도 열심히 하고 있다. 유튜브로 '연애의 기술' 같은 혹하는 제목을 가진 영상들을 보기도 하고 남자가 알아야 한다는 여자의 심리에 대해서도 열심히 봤다. 다만 그런 것들이 도무지 현실에서 적용하기 힘들다는 것을 계산해보지 못했다.

이런 것들 때문에 미안하다는 생각이 들 때도 있다. 심지어는 아직 제대로 된 '데이트'를 해본 적도 없다. 둘 다 새 학기를 준비하느라 가끔 얼굴 보는 것으로 만족하고 있다. 이렇게 유발된 미안함을 도대체 어떻게 아는 건지 그런 생각을 할 때마다 '연락만 하고 있어도 좋다' '고백하길 잘했다.' 같은 말들로 불안감을 행복으로 만들어준다. 아무리 생각해도 은하는 내게 아까울 정도로 완벽한 여자임이 분명하다.

은하가 인터넷 속 사람이었는지 현실 사람이었는지 헷갈릴 정도로 만난 지 오래된 어느 날. 은하란 가끔가끔 학교에서 마주치는 NPC 정도가 될 무렵의 그 어느 날. 마침내, 마침내 은하를 만나러 가는 날이 생겼다. 그 고대하고 고대하던 제대로 된 첫 데이트의 날이다. 이 하루가 예정된 순간부터 나는 조금의 신경도 다른 곳으로 돌릴 수가 없었다. 최근 검색 결과를 동네 맛집과 분위기 좋은 카페로 도배하고 세상에 있는 모든 사람의 데이트 데이터를 수집하려는 것처럼 공부했다. 은하가 가고 싶은 곳이 있다고 불렀으니 내가 점심 메뉴를 정하기로 했다. 솔직히 외식이라는 것을 대학교에 들어오고서 술 마시러 갔던 것 외에는 경우가 없다. 그렇다면 이럴 때 가야 할 곳은 정석적인 파스타 같은 길 갈 것인가. 그렇다면 무슨 음식이 있겠는가 그 생각만으로 나는 며칠을 허무하게 버리고는 결국 떠보기로 했다.

[파스타]

금방 답장이 왔다.

[ㅇ?]

나름 괜찮은 반응이다. 부정적이지 않아.

[샐러드]

[뭔데?]

조금 부정적이다. 티가 많이 나지 않지만 분명하게 느껴진다.

[돈가스]

[ㅋㅋㅋ] [뭐 하는 거야]

생각보다 좋아한다. 하지만 돈가스 파는 곳이 마땅치 않다. 물어보지 말았어야 했는데.

[먹고 싶은 거 얘기하는 거야?]

[ㄴㄴ]

역시 완벽한 연기. 내 의도를 파악하지 못하고 있다.

[파스타 맛있겠다]

[만나는 날 먹으러 갈까?]

… 뭔가 이상하다. 알고 있던 건가? 두렵다, 여자의 직감!

[굿]

걸리지 않은 척 대화를 끝냈다. 전혀 도움이 되지 않은 것 같아 마음이 편하지 않지만 연애는 처음이고 사교적인 활동도 드물어서 어쩔 수 없는 것이라고 은하도 이해해줄 것이다. 생각은 흐름을 타고 은하의 첫 연애는 어땠을지에 대해 닿게 되었다. 내게 안정감을 주고 마치 연애를 가르쳐주는 듯한 그런 모습은 누구에게서 배운 것인지 신경 쓰인다. 내가 이런 사람일 줄은 몰랐는데 사랑이란 어쩔 수 없는 것이 분명하다. 사랑의 경험은 턱없이 부족하겠지만 이 마음이 사랑인 것도 지금은 의심치 않고 있다. 그런 마음으로 이제는 만남의 날만 기다리면 된다.

데이트까지 앞으로 3일 남은 어느 평일. 다만 오늘도 내 일상은 달라지는 것 없이 강의실에서 수업을 들을 뿐이다. 천체물리학은 언제 들어도 한 번에 이해되는 일은 잘 없었지만 최근에는 집중조차 되지 않아서 더 힘든 수업이 되고 있다. 이게 얼마나 심한지 교수님조차 수업에 집중을 못 하는 것 같다고 말을 걸어오기도 했다. 아마 대학을 다닌 이후 가장 무서운 기억으로 남을만한 사건이었다.

오늘의 수업에서는 교수님께서 최근 개봉한 우주 영화에 관해서 이야기하셨다. "영화를 볼 학생이 혹시 있나요?"라고 물었지만 강의실에 그런 학생은 없었고 교수님은 이야기를 풀었다. 절반 이상이 자신의 수면을 알려주는 학생들과 수업은 재미가 없다고 생각하셨던 모양이다. 영화 이야기는 스포일러 가득 담은 리뷰 영상 같이 느껴졌다. "우주의 모습들을 그렸지만 새롭지는 않았다." "영화 내용 자체의 재미는 조금 떨어진다. 지금 잠을 자는 학생들은 반드시 보다가 잠들 것이다." 같은 저격의 의도가 물씬 느껴지는 발언으로 수업을 때우셨다. 교수님은 그나마 눈을 뜨고 이야기를 듣던 나와 눈을 마주치고는 '영화에 관심이 생기나요?'라고 물어보셨다. 영화를 보는 것은 돈이 아깝다고 직접적으로 말할 수는 없으니 그냥 "아니요"라는 말로 퉁쳤다. 버스 정류장 몇 개만 가면 별을 볼 수 있는 명당이 현실에 있고 심지어 영화는 재미조차 없다고 하면 과연 저 영화는 볼 가치는 무엇일까. 물론 명당은 나만 아는 곳이라고 해도 매력이 상당히 떨어지는 돈 낭비라고 말할 수 있어 보인다.

수업이 끝나고 집에 가는길. 해가 눈에 보이지 않는다. 입을 벌려 하품을 하고 있을 때 주머니가 울렸다.

우하하하

내게 메시지를 보낼 사람은 사실 은하밖에 없다. 은하는 오늘 오후 수업이 없던 덕에 이미 집에 있다며 내 부러움을 자아냈었다.

[마침 마친 걸 알아 채다니]

(놀라는 이모티콘)

[기다리고 있었지]

(웃는 이모티콘)

어디서 오는 자신감인지는 모르겠지만 사실 은하는 머리가 좋은 편이라고 생각이 들지는 않는다. 다만 대학을 멀쩡하게 다니고 있고, 사람 간의 예의를 알고 있고, 나름 귀여운 점으로 작용하기도 하기에 불만은 없다.

[나 옷 샀어]

[헉]

[뭐야 그 '헉' 은]

[기대돼서 그만…]

[기대해도 좋아]

피곤을 날리는 메시지에 발걸음은 가벼워졌다. 현재의 행복과 미래의 기대를 채워주는 최고의 서포트다.

은하는 사실 옷을 화려하게 입는 탑입은 아니었다. 도서관에서 만날 때는 언제나 편한 옷차람이 기본값이었다. 그러다 방학 끝 무렵에 나름 예쁜 옷들을 집에서 골라 와서는 한 번씩 물어보고는 했다. 사실 무슨 옷을 입든 불만족해 본 적은 없지만 여자에게 칭찬은 구체적으로 해주어야 한다는 어렴풋이 들은 조언을 떠올려 메마른 인문학적 작문 실력과 전멸한 미적 감각을 쥐어 짜내어 평가를 해줬었다. 물론 그에 대한 상은 "무슨 말을 하는 거야"라며 웃는 얼굴과 웃음소리였다. 이번엔 반드시 최고의 평가를 내려 주고 말겠다는 다짐을 혼자서 잠시 다졌다.

머릿속에서 수십 번의 시뮬레이션을 돌렸다. 해피 엔딩에 다다르기 위한 수많은 반복 끝에 내게 온 결말은 '이대로면 멸망이다.'라는 현실이었다. 하지만 인간은 정보 교류의 동물. 적어도 나는 지금 그렇게 생각한다. 인맥이란 이럴 때 쓰는 것임이 분명하다. 나는 메시지로 들어가 연락을 그다지 주고받지는 않는 직장 선배에게 연락했다. 사실 교대 임무인 데다가 이 형은 평일 오전 담당이시기에 나랑은 최근 더 접점이 사라졌다.

[형]

[?]

[어, 왜]

[저 토요일에 데이트 해요.]

[?] [나 너 안 좋아 하는데]

[아니 그게 아니라] [데이트 어떻게 해야 해요?]

잠시 정적이 흘렀다.

[도와달라는 거지?]

[네]

[뭘 위주로 도와줄까]

[어디까지 가능하십니까]

[뭔 소리야;;] [A부터 Z까지 라는거 아냐]

[대충 A부터 X까지만 봐 주십쇼]

[도라이놈…]

긍정적인 반응을 이끌어냈다. 결국에는 도와주시겠다고 하셨으니 이제 내겐 정말 두려운 것이 없다. 우선은 금요일, 나의 아르바이트 시간에 와서 팁을 직접 전수해주시기로 했다. 최선을 다해서 은하에게 부족하지 않은 모습을 보여주고 싶다는, 일종의 인정 욕구가 발현되고 있다.

"아니, 그건 진짜 아니라니까?"

평소 같았으면 그냥 지루했을 도서관에서 오늘은 오랜만에 누군가 옆에 함께 있다. 방학 동안은 기분 좋은 수다였지만 지금은 선배의 잔소리까지 전락했으니 방학을 그리게 된다. 물론 잔소리는 내가 자초한, 요청한 일이지만.

"뭔 쫄바지에 연두색 브이넥? 평소에 그렇게 입고 다닌다고,

진짜?"

"그거 말고는… 음, 흰 티"

예상은 했던 일이지만 더욱 노골적으로 신랄한 비판으로 교육을 받는다. 나로 인해 두통이 생기신 것 같아 조금 죄송하다.

"가디건 같은 건 없다 했고, 차라리 그냥 청바지를 입어. 멀쩡 이상으로 생긴 놈이 꾸미지를 않아."

"죄송합니다…."

선배는 "안 되겠다."라며 자리에서 일어나셨다. 화가 많이 나신 건가 생각이 들었지만 집에서 옷을 가져오겠다고 "딱 기다려!"라며 나가셨다. 기다리는 동안 기대에 배반하지는 않도록 아까전 추천받은 여자와 대화하는 법을 가르쳐 주는 영상이라도 곱씹어 보기로 했다. 여자의 보편적인 심리, 남자가 주로 심기를 거스르는 이유 등을 들어 나름 논리적으로 설명해 주었기에 도움이 되리라고 믿고 있다.

영상을 두 번 정도 봤을 무렵 선배가 두 가지 옷을 챙겨오셨다. 둘 다 겉옷이었지만 하나는 검은색, 하나는 노란색이었다. 하나씩 입어보고 벗어보고 입어보고를 반복하다가 검은 가디건을 빌렸다. 이후로 하루 내내 선배를 상대로 한 대화 시뮬레이션을ㅇ 돌리고, 여자의 일상어에 숨어 있는 의미를 공부하고 칭찬하는 법을 배웠다. 실은 절반은 흘렸기에 거의 배우지 못했다.

"네놈에겐 이제 실전뿐이다. 나의 모든 것을 전수했다는 것이다."

"으…예? 예, 뭐…"

실전의 날은 그렇게 꽤나 허무하게 다가왔다.

다가온 실전의 날, 첫 접전지는 초등학교 앞 정류장. 유리에 비친 모습을 보며 머리에 정리하고 마음을 가다듬었다. 나의 승님 가라사대 상대가 약속에 30분 일찍 나올 것을 고려하여 행동하라 하셨다. 그렇기에 나는 약속 시각인 4시에서 45분 일찍 도착해 있었다. 그리고 어느덧 이곳에 있는지 20분이 흘렀지만 도무지 마음은 진정되지 않는다. 약속 장소가 ㅏ이곳이 확실한지 여러 번 확인하기도 하고, 어딘가 이질적인 현실을 제대로 자각하기 위해 제자리를 돌며 주변을 탐색하고 있었더니 전화가 울렸다.

우하하하하하하

평소보다 긴 웃음 소리를 표현한 메시지였다.

[우와, 은하 님이다!]

[오늘 만나는 거] [잊지 않았겠지]

[어찌 잊겠습니까]

[음음] [4시까지 고등학교 앞 정류장]

[어?] [초등학교 아닌가]

[에?]

잠시 새로운 메시지가 오지 않았다. 그 상태로 약 1분 정도가 흘렀다.

[아] [알지] [역시] [속지 않는구만]

쌓였던 메시지가 한 번에 뚫린 듯 여러 개가 몰려왔다. 무슨 일이 있었던 건지 물어보고 싶지만 그러면 안 된다는 누군가의 목소리가 머릿속에서 들렸다. 다만 그 전에 먼저 질문이 왔다.

[혹시] [도착했어…?]

여자의 감이란 언제나 무섭다. 나의 '좀 전에'라는 메시지 후에 은하는 더 이상 뭔가를 물어보지 않았다.

3시 45분은 곧 약속 시각까지 15분이 남았다는 것이고 내가 이곳에 온 지 30분이 지났다는 뜻이다. 허공을 바라보고 있었더니 익숙한 사람이 멀리서 달려왔다. 한참을 기다리고 있던 그녀였기 때문에 금방 알아볼 수 있었다. 하지만 여러 영상과 조언으로 표정을 적당히 표현하라고 배웠다. 그게 쉽지는 않지만.

"안 늦었지!"

거친 숨을 몰아쉬며 내 앞에 도달한 은하는 평소와는 사뭇 다른 느낌의 복장을 하고 왔다. 옷에 조예가 깊지 않은 탓에 자세한 표현을 들어 설명하기는 어렵지만 분명히 잘 어울리다 못해 강하다고 생각한다. 아름다운 분위기와 청순한 외모를 가만히 몸 곳곳에서 사랑스러움이라는 글자를 기운화 시켜서 흘리고 있는 것처럼 느껴졌다. 이걸 더 표현하지 못하는 것이 원통하다.

"아직 4시 아닌데, 천천히 오지. 힘들겠다."

"아냐아냐, 기다리게 할 수는 없지."

은하는 미소를 보여줬다. 한 번 꼭 안아보고 싶다. 은하는 "가자."라며 내 손을 끌었고 손에는 신경이 가득 쓰였지만 애써 머리를 굴려 "안 쉬어도 되겠어?"라고 물었다. 하지만 "가서 쉬면 되지."라며 날 더 끌었다. 어디를 가려는 건지 기대를 지울래야 지울 수 없다. 사실 어디를 가든 안 좋은 추억은 되지 않겠지만.

어둡고, 넓고, 편안한 자리. 앞에 펼쳐진 거대한 화면에는 뒤에서 쏘아진 빛이 너무나 밝다. 영화관은 무난하고 정답에 가까운 연인들의 장소라고 할 수 있다. 다만 옆구리를 찌르는 걱정은 이 영화가 교수님의 불호를 받은 그 영화라는 저밍다.

"맘에 안 들어?"

은하가 옆에서 작은 목소리로 속삭였다.

"아냐, 너무 좋아."

"정말?"

"응, 조금 피곤해서 그래."

거짓말은 하지 않았다. 어젯밤도 심장이 진정되기까지 기다리다가 잠을 전혀 자지 못 할 뻔했다. 거기에 재미가 없다는 영화를 보게 됐으니 미래에 대한 걱정이 급격히 몰려왔다.

견뎌야 한다. 버틸 수 있다. 첫 데이트라고. 잠들어서야 후회할 거야.

내 걱정을 아는지 모르는지 은하는 콜라를 들이켜듯 해치웠다. 땀이 날 정도로 뛰었기 때문에 지쳤을 것이다. 솔직히 이제 돌이킬 수 없을 정도로 콩깍지가 씐 건지 그냥 귀여운 것인지 시선을 고정하고 있기 부끄럽다.

"시작한다!"

은하가 내 쪽으로 붙어 속삭였다. 익숙해져서 나도 받아치고 싶지만 진정조차 되지 않는다. 영화의 시작. 흘러나오는 잔잔한 배경음악과 제작사, 감독의 이름, 그리고 공허한 기운이 맴도는 밤하늘이 순서대로 내게 흘러왔다. 세상에. 이렇게 자장가다울 수가 없다. 오른쪽에서는 새근새근 이라는 숨소리가 들린다. 은하가 오른쪽에 있었는지 왼쪽에 있었는지 제대로 기억나지 않는다. 그것을 고민하다 보니 점점 눈이 감겼다. 이쯤에서 정신을 잃었다.

잔잔한 엔딩 음악이 내 귓가에 서 흔들려 나를 깨웠다. 서둘러 눈을 떠서 주변을ㅇ 살폈다. 오른쪽에서 은하가 몸을 쭉 피고 있었다. 오른쪽에 뭔가 있었던 것 같은데 기억이 나지 않는다.

"아, 재밌었다." 은하가 일어서며 얘기했다. 나도 서둘러 따라 일어서며 "아, 좋네"라고 맞장구쳤다. 쓰레기를 몽땅 스레

기통에 집어넣고 화장실에 가겠다고 달려가서 잠을 깨웠다. 시작을 안 좋게 했기 때문에 지금부터라도 수습해야 한다. 계획대로 찾아둔 약식집을 가서 파스타를 분위기 있게 주문하고 만족하는 표정을 보고야 말겠다. 심호흡과 세수, 스트레칭과 기합으로 정신을 다시 잡았다. 밖으로 나오니 은하가 기다려 주고 있었다.

"좋아! 가자!" 이번엔 내가 손을 잡았다. 손에서부터 심장을 거쳐 얼굴 가득 뜨거운 피가도는 기분을 실시간으로 느낄 수 있는걸 보니 건강요법이 분명하다.

하얀 간판과 통유리로 가게 안의 분위기를 뽐낸다. 영화관에서 가까운 곳에 있는 덕에 금방 도착할 수 있었다. 가게 구석에 있는 빈자리로 안내받고 들어갔다. 창가에서 멀었지만 오히려 다른 사람들의 시선으로부터는 자유로운 편안한 자리였다. 은하는 앉아서 겉옷을 의자에 걸고 메뉴를 보더니 눈이 조금 커졌다.

"혹시 1인분이 아닌가?"

분명 의심스러운 가격이다. 그 부분에 대해서는 나도 얼추 비슷하게 생각한다만 아주 평범한 가격이라고 하니 합리적일 것이다. 이런 가게에 다시 오지 않을 것처럼 신중하게 메뉴를 골랐다. 은하는 토마토 파스타를, 나는 그림을 주문했다. 무난하고 대중적인 선택은 보통 배신하지 않는다.

가만히 앉아 기다리는 동안의 시간은 어색했다. 주로 도서관에서도 대화는 은하가 주도했기 때문에 머리를 열심히 굴려 대화의 주제를 찾았다. 하지만 대화조차 어려운 내게 그것은 쉽지 않았고 결국 은하가 먼저 말을 걸어왔다.

"영화 어땠어?"

젠장, 대화 주제를 먼저 찾지 못한 탓에 곤경에 빠졌다. 아마 내 머리에 귀를 대면 태엽 돌아가는 소리가 날지도 모른다.

"영화 말이지. 음, 되게 오랜만에 보는 영화였는데 편안하게 볼 수 있었달까. 재밌었어."

내가 생각해도 기가 막힌다. 거짓말도 없고 깔끔한 평가인 것 같다.

"아, 그치. 난 이런 영화가 좋더라. 배경도 예뻐서 좋았어."

영화에 대해서 얼추 겉보기 적인 대화가 이어졌다. 영화관의 분위기나 의자에 관한 이야기, 팝콘의 맛에 대해서 하고 나니 주제는 금세 가게로, 서로의 학교 생활, 다음 데이트 같은 곳으로 여기저기 튀었다. 음식이 우리 앞으로 오자 은하는 들리지 않을 정도의 작은 박수와 함께 "나왔다!"라고 속삭였다. 음식은 가격을 생각하지 않으면 나름대로 만족스러운 맛이었다. 맞은편에서 보여주는 만족한 표정 앞에서 가격에 대한 생각은 금방 소멸해 긍정적인 기분이 남았다. 어디서 본 방식처럼 포크에 말아서 입에 넣는 방법을 써보니 굉장히 귀족이라던가 상류층의 데이트를 하고 있다는 기분이 들었다.

그릇을 비운 이후에 이제 나에게 가장 중요한 시점이다. 상대는 나가기 전 잠시 화장실을 들리겠다고 자리를 비웠으니 내 계획에 방해는 사라졌다. 그 어디에도 눈길을 주지 않고 목표물로 돌진해서는 카드를 건넸다. 완벽한 작전 수행으로 만족스러운 식사를 끝마칠 수 있었다.

기억의 흐름에 잠겨 마치 내몸과는 관계없는 제삼자처럼 보낸 하루는 금방 지나갔다. 반대로 오랜 기억을 되짚었지만 하루가 끝나지 않았다는 생각도 들었다. 이 회상 속에서 무언가 찾을 수 있을까 했지만 내게 생긴 건 미련과 갈망의 증폭뿐이고 나의 구체적인 죄는 찾을 수 없었다. 차라리 은하가 평소 불만이 많고 짜증이 많은 사람이었다면 이러고 있지는 않았으리라는 생각은 남 탓처럼 느껴져서 죄책감이 생겼다. 일을 하는 동안에는 다른 곳에 정신이 가지 않을까 했지만 도서관은 여유롭고 한적했다. 내게도 경력이 꽤 쌓였지만 내게는 중요한 일을 맡긴다거나 많을 일을 넘기지는 않는다. 대학생 아르바이트의 신뢰성은 얼마 없다거나 어린이에게는 일을 시킬 수 없다거나 그런 이유였다. 그 날은 결국 그러다가 집으로 돌아갔다. 오늘치의 시급은 나오지 않는다고 해도 변명이 없을 하루였다.

머리가 지끈거리고 어깨와 다리가 욱신거린다. 특별히 먹은 것이 생각나지 않았음에도 속이 메슥거린다. 추정되는 범인으로는 이틀의 시간을 건너온 술이 가장 유력하다. 간만에 맞이하느라 준비가 되어있지 않았던 몸, 그 상태로 찬 바람을 맞으며 잠을 설치다 보니 몸이 갑자기 이상해지는 것이 오히려 이상하지 않았다. 잠을 설친 것은 창문이 슬며시 열려 있던 것을 잊었기 때문이다.

사람이 안 아프다가 갑작스레 열이 오르면 바빠진다. 우선이것이 어떻게 해야 낫는지 무엇을 해도 되는지 모르기 때문에 아무것도 하지 않거나 아픈 몸을 첨가한 일상을 살아간다. 하지만 아무것도 안 하기에는 내게는 일이 남았기 때문에 후자를 선택하게 되었다. 나도 마음 같아서는 그냥 누워 자고 싶지만 지금 자리를 채워줄 사람을 찾을 수가 없으니 길을 나서야 한다.

　찬 바람과는 관계없이 몸이 으슬으슬 떨리고 얼마 걷지 않았지만 몸이 피로하다. 다행인 점이라면 기침은 나오지 않고 목소리도 나온다. 불안한 마음은 대충 구매한 마스크로 어느정도 가리고 의자에 누운 것으로 착각 받을 정도로 앉아서 허공을 응시하고만 있었더니 점점 몸이 적응되기 시작했다. 아마 조금만 더 있으면 오늘의 일과도 해치울 수 있을 것이라 느껴진다.

　간만에 아프고서 의자에 앉아있자니 하필 이럴 때 아프다는 감상이 머릿속에 떠올랐다. 헤어지고는 별 유난을 떨겠다고 시위하는 것 같지 않은가. 주로 은하가 아프다고 했을 때 위로해 준 적은 많았다. 잔병치레가 잦았던 은하는 아프면 주로 그걸 구실삼아 연락을 해와서는 하소연을 주고 위로를 받아갔다. 이런 이유와 서로 바쁜 시기가 어긋나는 탓에 바라는 만큼 함께하지 못했다. 생각하다 보니 이것도 헤어진 이유 중 하나일까.

　첫 데이트를 하고 일주일 만에, 은하는 몸살로 앓아누웠다. 들어보니 신나서 창문을 열고 이불조차 덮지 않고 잤다고 한다.

전날은 최근 밤 중 제일 추운 날이었다. 은하는 감기에 걸린 내내 연락을 해왔고 나는 있는 힘껏 말동무를 해줬다. 말동무를 해줬다고는 하지만 내게는 별로 손해 보는 부분이 없었다. 나는 문자를 주고받는 게 즐거웠고 가끔 전화를 거는 게 즐거웠다. 별 내용 없는 시시한 이야기라던가 놀러 가고 싶다는 이야기로 하루를 지내다 보니 여가가 생긴 것 같기도 했다.

이것이 연애 후 처음 은하가 아팠던 이야기이다.

동네에 새로운 유명 프랜차이즈 가게가 생겼다. 지금 여기저기서 전부 여행이라 첫날은 예약을 받는 과감한 선택을 했다고 하여 예약을 시도해보기로 했고 놀랍게도 성공할 수 있었다. 그리고 거짓말같이 은하는 장염에 걸렸다.

"괜찮다니까. 아픈 걸 어쩌겠어?"

은하는 자신의 소식을 내게 알리며 연신 사과를 반복했다. 억울함이 가득 담긴 목소리로 울먹거리듯 말하는 모습에 괜찮다는 말 외에는 해줄 말이 떠오르지 못했다.

"하필이면 장염이야! 나 진짜 어떻게 이래."

곧 있으면 울 것만 같았지만 뭔가 귀엽다고 느껴지기도 했고 어떻게 달래줘야 할까도 떠올리지 못해서 조금 듣고 있었다.

내가 별말을 안 하고 있으니 은하도 서서히 잠잠해져 갔다.

"혹시 화났어?"

"전혀, 그냥 얼굴 보고 싶다고 생각하고 있어."

"그럼 만날까? 나도 보고 싶어."

은하는 진심으로 보이긴 했지만 나는 회복에 힘쓰라고 거절했다. 은하는 아쉬워하며 침대에서 팔락거린 것 같다. 뒤이어 "아, 아파."라며 행동을후회했다. 그 이후에도 보고 싶다는 이야기와 힘들다는 이야기를 굴러가듯 반복하며 전화를 이어갔다.

생각해보면 이때 무슨 이야기를 했었는지는 기억이 잘 나지 않는다. 하지만 이때의 즐거움은 구체적이었다기 보다는 단순했고 평생 갈 것처럼 소중했다. 이때를 회상하면 당시에는 크게 느끼지 못했던 손수 풋풋하다는 감정이 지금에 와서 피어오르는 것처럼 느껴진다. 마치 어릴 적 밤에 본 빛나는 별을 떠올리는 것 같았다. 아름다웠던 하늘, 그 아래에서 감격에 가득 찬, 기억 속에만 존재하는 어린 시절의 나를 떠올리는 것처럼 느껴진다. 그때로 돌아갈 수 있다면 매 순간 이 기분을 누릴 수 있을 것이고 누릴 것이다. 밤하늘은 지금도 볼 수 있지만 나는 달라졌다. 하지만 은하는 떠나갔고 나 또한 달라졌다.

어쩌다 보니 회상에서 멀어졌지만 사실 회상 속에도 그다지 남은 이야기는 많지 않다. 은하가 몸을 회복하고 만나서 놀 수 있었디만 소원만큼 많이 만날 수는 없었다. 이런 부분에 대해서 은하는 미안하다는 말을 자주 했고 본인이 아플 때면 눈치를 살피기 시작했다고 그런 부분에 관해서는 전혀 상관 없었지만 오히려 눈치를 보는 것에 대해서 불편함을 느꼈다.

온갖 잡생각에 빠져 일하는 건 평소와 같았지만 체력이 부족해져 있다 보니 점차 몸에 힘이 사라져가는 기분이었다. 체력의 문제도 그렇지만 갑자기 내가 불쌍하게 느껴졌다. 바보짓은 내가 하였다고 해도 아픈데, 심지어 얼마 전 실연까지 겪은 몸과 마음이 모두 성치 못한 사람인데 부저런하기 위해서 일하고 있다는 것이 기구하다고 나 자신을 위로했다. 이런 점을 누군가를 붙잡고 이야기를 하고 싶고 하소연을 하고 싶고 공감을 받고 싶다는, 친구 놈에게 술 마시면서 이야기한다면 "드디어 미쳤구나"라는 이야기를 들을법한 기분이 들었다.

왜 아플 때마다 잠을 자고 휴식을 취해야 함에도 계속 연락을 하고 전화를 해왔는지 이해가 될 것 같다. 진작에 좀 아팠더라면 이 기분을 미리 이해할 수 있었을 테고 좀 더 적절한 위로를 통해 서로의 마음의 짐을 덜 수 있었을 것이라는 아쉬움에 한숨을 내쉬었다.

겨우겨우 정신을 부여잡고 도서관에서 탈출했다. 사실 정신을 두 번 정도 잃었지만 그러고나니 어느 정도 상태가 괜찮아졌다. 다만 허리에 조금 무리가 생겼다. 몸을 구부린 채 바닥만 바라보며 길을 걸었다.

몸이 조금 괜찮아져서일까, 공복이라는 사실이 떠올랐고 몸에서 음식을 바라왔다. 옆에서 보이는 편의점의 빛은 날 불렀고 나는 몸을 움직이는 걸 막을 수 없었다. 배고픈 상태로 들어오는 편의점의 빛은 날 불렀고 나는 몸을 움직이는 걸 막을 수 없었다. 배고픈 상태로 들어오는 편의점의 모습은 경이로웠다. 먹어보지도 못한 음식을 포함해서 들어보지도 못한 종류의 간편식들이 존재하고 있었다.

한 손에 편의점 비닐봉지를 들고 돌아온 집은 너무나 오랜만에 오는 것처럼 느껴진다. 대에서는 계속 식량을 제공하라고 소리치고 나는 움직이기도 귀찮은 다리를 끌고 전자레인지 앞으로 갔다. 봉투를 뒤집어서 속에 있던 것을 책상 위에 쏟았다. 조그마한 죽 하나와 단맛이 강하지 않은 초코우유가 책상에 떨어졌다. 죽을 집어서 전자레인지에 집어넣었다.

이제 몸이 거의 나았는데 왜 죽을 사 왔을까. 그 부분은 지금도 후회하고 있다. 그 많은 새롭고 다양한 즉석식품이 늘어져 있었는데 뭔가 '나는 환자다'라는 최면에 걸려 죽을 사 오고 말았다. 맛도 없고 양도 적고 살면서 내 돈 주고 내가 먹겠다고 사 본 적이라고는 없던 음식을 사 왔으니 먹어내야 한다.

전자레인지가 자신의 업무를 완료했다고 소리 내어 나를 부른다. 문을 열고 꺼내겠다고 잡았지만 뜨거울 것이라는 가정을 하지 않고 손을 쓴 나를 벌 내리듯 손을 뜨겁게 달궜다.

옷으로 겨우 손을 지켜내며 죽을 꺼내서 한 입 먹었다. 정말 놀라울 정도로 아무 맛도 나지 않았다. 대충 먹을 만큼 먹어치우고 우유를 열어 빠르게 삼켰다. 초등학생에게 간식을 주기전에 밥을 잘 먹으라고 한다면 어떻게든 밥을 먹는 이유를 느낄수 있었다. 단맛을 입안 가득 채우고 나니 죽을 먹고 후회스러웠던 기분마저 당으로 변해간다.

이 음식 조합은 은하가 감기로 누웠을 때 전해줬던 것들이다. 고를때는 몰랐지만 고르고 나니 그런 조합이었다. 환자는 반드시 죽을 먹어야 한다고 내가 강조하며 사줬지만 이런 맛일줄은 몰랐다. 솔직히 이것 때문에 이별을ㄹ 고했다고 한다면 나는 받아들이겠다. 초코우유는 당시 나의 선택이 아니었다. 우유 하나만 사준다면 죽을 열심히 먹겠다길래 하나를 보태어 샀다.

봉지를 손에 들고 은하의 집으로 갔다. 처음 가보는, 연인의 집이라는 곳은 상당히 긴장을 보태어주었다. 들어갈 생각이라 던가 전혀 없었음에도 가슴은 과도하다 싶을 정도로 두근거렸 다. 부탁을 받고 가는 것임에도 잘못을 하는 것 같고 누군가 나 를 욕할 것 같았다.

난생처음 와보는 오피스텔 앞에 서서 어떻게 해야 하는가에 대해 한참을 고민했다. 그 때의 나는 친구들 앞에서 말실수를 했을 때, 혼자서 길을 걷다가 발을 헛디뎠을 때, 혹은 부모님 몰 래 부적절한 행동을 할 때 처럼 가슴이 뛰었다. 계단을 오르는 동안 발소리가 나는 것조차 긴장됐다. 은하는 심지어 약 20분 전부터 내 메시지를 보지 않고 있다. 내가 죽을 가지고 가겠다 고 한 그 순간부터 사라졌다. 그 때는 뭐가 그렇게 무서웠을까 하는 생각을 해보지만 지금에 하라고 한다면 포기하겠다.

결국 나는 문 앞에 봉투를 놔두고 사진을 남긴 채 도망쳤다. 강하게 뛰는 심장은 부족한 체력에 의해 정말 터질 것처럼 뛰 었다. 한참 후에 내가 보내놓은 사진을 본 은하는 답장으로 "아" 라는 글자를 남겼다. 그리고 조금 더 있다가 "고마워…"라는 메시지도 추가로 왔다. 이후 은하는 조금 서운했던 것 같았다.

들어보니 예쁜 옷을 입고 기다리고 있었다고도 들을 수 있었다.

순수했던 어린 시절처럼 느껴지지만 사실 1년도 되지 않은 과거의 이야기다. 시간이 공간이라면 걸어서 갈 수 있을 것처럼 느껴지기도 하는 거리의 과거는 지금과는 사뭇 달랐다. 어쩌다가 변하고 후회를 하게 되었는지 당장 떠오르지 않는데, 이것은 조금 답답했다. 어찌 됐든 배는 채웠고 시간은 늦었다. 이불 속에 기어가듯 들어가서 눈을 감았다. 한동안 보지 않으느 밤하늘이 머릿속에 조금씩 떠올라서 한 번 보러 가야겠다는 결심을 했다. 최근에는 별이 잘 안 보인다는 생각이 들었기도 하지만 안 본 지 한참 됐으니 달라졌을까 하는 기대도 했다. 눈을 감고 나니 금방, 편히 잠에 들 수 있었다.

이날의 꿈은 잠든 순간과는 정반대로 어느 정도 악몽에 가까웠다.

검은 머리가 눈앞에 있다. 그 머리가 앞으로 가는 건지 내가 뒤로 가는 건지 점점 멀어져서는 뒷모습을 전부 볼 수 있었다. 의심의 여지가 없는 나다. 멀리서 본 내 건너편에는 익숙한, 보고 싶은 사람이 있다. 단 한 번도 보고 싶었던 적 없는 어두운 표정을 한 채. 무언가를 물어보고 있다. 잘 들리지는 않지만 내용은 얼추 알고 있다. 눈앞의 나는 대답을 했고 은하는 웃었다. 하지만 어둡다. 그 표정을 지켜보고 있더니 갑자굿레 추워지고 어두운 주변에 빛들이 생겼다. 어깨 건너로 보이는 미소는 어느새 눈물로 대체되어 무언가 말 한마디를 뱉고 하늘에서 떨어졌다.

누군가에게 말하면 미련에서 나온 개꿈이라고 할 것이다. 하지만 이토록 감사한 꿈을 도무지 악몽이라고 말할 수는 없을 것이다. 도통 기억 속에서 찾을 수 없던 단서라고 할 수 있을 것 같다. 그 날은 연애 이후 두 달이 됐을 무렵이었다. 말도 안 되게 바빠서 만나도 딴생각에 잠기거나 연락도 쉽지 않은 시기였다.

간만의 데이트. 바빴던 탓에 쉽지 않은 만남, 최선을 다해 준비해서 만나주고 싶다. 메시지로만 봐도 서운하다던가 보고 싶은 티를 냈기 때문에 미안한 마음이 었었다. 지난 마지막 만남은 산속에 있는 나의 별 관람 명당이었는데 당시에 상당히 만족해줬다. 만남의 마무리를 그걸로 하면 좋겠다고 생각했었다. 맛있는 걸 먹고 둘이서 시간을 보내고 대화하고 웃는다는 상상만 해서 하루 원동력 삼아 긴 공백을 보내왔다. 많이 만나지 못했다고 해도 웃으면서 지냈고 심지어는 엄마조차 "애가 밝아졌다."라는 평가를 남겼다. 그 정도 기대를 해 온 날이었지만 기대는 오히려 잘못된 결과를 불러 온 것처럼 됐다.

그날은 무언가 잘못된 날이었다. 만나기로 한 시간은 7시였기에 집에서 15분 정도 걸리는 거리를 가기 위해 6시 30분에 출발하기로 했다. 옷을 차려입고 시간을 확인하니 6시길래 잠시 의자에 앉아있었다. 그 순간 전화기가 울렸고 상대는 그즈음에 연락이 잦아진 엄마였다. 내가 자취하고 잇는 곳 근처에는 외할머니가 살고 계셨는데 몸 상태가 안좋아지신 탓에 내게 이런저런 지시사항을 내려 돌봐드리라는 것이 주요 용건이었다. 그 날의 연락은 지금당장 할머니께 가서 짐을 도와드리라는 용건이었다. 얼마 걸리지 않을 것이고 별거 없을 거라는 말에 나는 차마 약속이 있다고 거절할 수 없었다.

할머니께서는 댁에서 5분정도 걸리는 곳에서 짐을 받고 기다리고 계셨다. 항상 내게 바로 연락을 달라고 말씀드리지만 엄마를 거쳐서 내게 용건이 전달된다. 할머니의 짐은 음식거리였는데 혼자 들고 오르막길을 올라가는 것은 할머니께는 힘든 일이었을 것이다. 양손에 짐을 들고 댁으로 짐을 옮겨드렸는데 걸음이 느리신 탓에 꽤 시간이 걸렸고 할머니 댁에서는 짐을 정리해 드렸더니 뭘 좀 마시거나 먹고 가라고 잡으셨다. 할머니께 급하게 인사를 드리고 약속 장소로 달렸다. 할머니 댁에서 버스를 타기에는 정류장에서 꽤 거리가 있었다. 횡단보도 신호에 걸려 시간을 확인하려 했지만 주머니 속의 전화기는 할머니 댁에 잠들어 있었다.

결국 전력으로 달려서 은하 앞에 도착한 시간은 7시 10분, 안 좋은 표정을 끌어내기에는 당연하고 변명할 수도 없는 시간이다. 내가 할 수 있는 건 사과뿐이었다. 심지어 연락조차 받지 않았다. 대역 죄인이 되어 하루를 지내게 되었다.

저녁 식사 동안에도 편하지 못했다. 화가 났다가보다는 풀이 죽은 것 같은 표정을 앞에 두고는 내가 무얼 먹는지, 음식을 먹고 있기는 한지 의심이 들었다. 밥 먹는 동안에도 거의 대화를 나누지 못했다. 차마 어떤 말이라도 잘못 꺼냈다간 싸해질 분위기를 감당할 수 없었다. 계산은 제발 내가 하게 해달라고 부탁해서 그나마 마음의 빚을 덜었다.

카페에 가서 음료를 하나씩 사 들고 별을 보러 가기 위해 함께 걸었다. "화났어?"라고 묻자 은하는 조금 망설이더니 "화가 조금, 나긴 했는데…"라고 말했다. 반드시 만족스러운 밤하늘을 보여주고 대화로 마음을 풀어서 행복한 마무리를 하겠다는 계획을 세워냈다. 조금 걸어가다 보니 오르막길이 나왔고 그 길을 따라 올라갔다. 길을 따라가다가 오른쪽으로 틀어서 나무 사이로 들어갔다. 나무가 울창한 듯하지만 분명히 지나가는 길이 있고 따라간 곳에는 공간이 있었다. 이 당시에는 은하의 두

번째 방문이었고 이후에 이 장소에서 자주 만나 놀게 될 것이다.

바위에 앉아 하늘을 바라보며 잠시 조용히 있었다. 나는 먼저 말을 꺼냈다.

"미안해. 하루종일…"

은하는 잠시 듣고 있더니 내 쪽을 바라보고 손을 잡았다.

"사실 요즘 고민이 좀 있어. 들어줄 수 있어?"

그 말을 듣는 순간 '두근'인가 '쿵'인가 가슴에서 소리가 들렸다. 피하고 싶었지만 듣고 싶었던, 무섭고 기대되던 순간이 왔다. 그저 고개를 조금 끄덕일 수밖에 없다.

"혹시 내가 많이 피곤해? 요즘 바쁘고 힘든데 괜히 나까지 할 일이 되는 건 아닌가 걱정이 되기도 하고, 바쁜 걸 이해 못하는 건 아닌데 너무 내가 방해처럼 달라붙는 것 같기도 해서. 연애라는 게 오히려 방해가 되는 것 같아서, 괜찮은 걸까 고민을 하고 있어."

힘들게 내어준 진심을 듣는 것은 내게도 쉬운 일은 아니었다. 손에서 땀이 나서 축축해졌고 마주치고 있는 눈은 맑은 하늘을 바라보는 것처럼 따가웠다. 어떻게 말을 꺼내야 할지 머릿속이 공허해지는 것처럼 느껴졌다.

"아니. 그러니까, 전혀 그렇지 않아."

조금씩 처음 보는 글자들을 읽듯이 신중하게 말을 이어갔다. 다시 직시한 은하의 눈에는 무언가 터져 나올 것처럼 보였다.

"그런 걱정 시켜서 미안해. 좀 더 노력 했어야 했는데 쉽지가 않나 봐. 너는 나한테 너무 고맙고 함께 하고 싶은 사람이야. 그러니까, 그런 생각하게 만들어서 미안해."

내 죄를 인정하는 참회에 가까운 사과를 하다 보니 가슴이 먹먹해졌다. 결국, 내 눈에서 먼저 눈물이 흘러내렸다.

"우…울어?"

은하는 내 눈물에 당황하는 듯하더니 곧이어 동화되어 쌓여 있던 눈물을 흘렸다. 아무도 없는 밤하늘 아래서 눈물을 충분히 흘렸다. 나는 "미안해"라는 말만 반복해서 울었고 은하는 울먹거리며 "울지마" "내가 미안해"라며 날 안아줬다. 처음 만난 지 두 달. 고백을 받아들인지 한 달 정도. 처음 모르는 소녀에게 붙잡혀 알 수 없는 설문조사에 응할 때만 해도 새롭고 다채로운 경험들로 내 이상을 채워줄 것이라고는 상상치도 못했다. 한참을 그렇게 울고 있었다.

이날, 우리는 서로에 대한 새로운 사실로 서로를 놀래켰다. 거기서 나는 은하가 연애가 처음이라는 것, 첫 영화관에서 함께 잠들었다는 것 같은 새로운 사실들을 알았다. 은하도 내가 영화관에서 잠들었다는 것, 연애는커녕 이런 여가조차 익숙지 않다는 것을 알아갔다. 앞으로 함께 하고 싶은 것들, 서로에 대한 생각, 지금까지의 연애에 대한 감상 같은 것들도 나눴다. 은하는 나와 음악회를 가보고 싶다고 했고 나는 "언젠가 그러자"라고 했다. 나는 여행을 가보고 싶다고 말했고 은하는 "좋은 생각이야"라고 말해줬다. 누군가와 속을 터놓고 이야기한다는 것은 꽤 부끄러운 일이었지만 느껴지는 평화로움과 만족감은 이 순간만을 앞으로의 시간을 채우고 싶어질 정도였다.

분명 해피엔딩이지만 이야기는 저기서 끝맺지 못했다. 우선 이 일 이후로 나는 눈치를 살피게 됐다. 아예 안 봐왔던 것은 아니지만 혹시나 기분이 나빠지지 않을까 온 신경을 써서 지내느라 가끔은 지치기도 했다. 그래도 즐거웠으니 이건 큰 문제가 없었다. 문제라고 하면 비슷하다면 비슷한 상황이 반복되기도 했고 나의 표현은 언제나 부족했다. 항상 부족했고 실망하게 했다. 은하는 나와의 연결고리를 연결하고 있으려고 노력했지만 나는 부족했기에 보답해주지 못하는 내가 너무 한심하게 느껴지기도 했다. 삐지게 만들고 힘들게 만들고 괴롭힌 것 같다.

내게 많은 것을 바라지 않았던 은하였지만 그런 기대조차 만족시켜주지 못했다. 이별을 마주하고 예상했던 부분이지만 회상을 곁들이니 나의 죄가 더욱 무겁게 느껴진다. 내가 아니었따면 우리의 사이는 행복했을 테고 더 보기 좋은 연인 사이였을 거라고 자꾸만 내 안에서 떠오른다. 다른 남자를 만나러 간다고 해도 나는 응원해야 할 죄인이다.

이별의 근거를 찾기 위해 좋았던 시절의 기억을 따라 걸은 지 대략 이 주일 정도가 지났다.

이런 저런 옛날 기억들을 떠올리다 보면 즐겁기도 하고 미안하기도 하고 어떻게 했어야 했나에 대해 생각에 빠지기도 한다. 그렇다 해도 겉보기에는 완벽하게 연애 시작 전으로 돌아온 것처럼 지내게 됐다. 일이 있는 날에는 출근, 없는 날에는 주로 집에서 휴식을 반복하며 살고 있다. 피곤한 날에는 혼자 카페에 가서 카페인을 충천하고 심심하면 혼자 산책을 나서기도 한다. 누군가를 만나는 일이라면 한 번씩 술 마시자고 부르는 친구 놈 정도가 있다. 오늘도 그걸 위한 외출이다. 이 주 만에 벌써 세 번째 만남이다.

"이야~ 늦어버렸습니다!"

약속 장소에 약속 시각보다 15분이 늦은 시간에 마침내 기다리던 사람이 왔다.

"이게 뭐 하는 짓이지?"

"아니, 내가 막 늦으려고 했던 건 아닌데, 와~ 신호가 막, 기가 막히게 걸리던데?"

만나자마자 쓸데없는 내용으로 다투며 항상 가던 곳으로 갔다. 거리에는 사람들이 많지는 않았지만 다들 우산을 하나씩 들고 있었다. 아쉽게도 우리 둘은 빈손이었다. "오늘 비 온대?"라고 묻길래 "알았으면 챙겨왔겠지"라고 대답해주니 쉽게 납득했다. 춘구는 날이 나름 밝다는 것을 근거 삼아 비가 오지 않으리라 추측했다. 덧붙여 "절대, 절대 안온다"라고 이야기했다. 편의점이 보인다면 바로 우산을 사러 가야만 한다.

가게까지 오는 길 동안 편의점은 존재하지 않았다. 불길한 마음을 가득 안고 자리에 앉아 음식을 주문했다.

"이런 말 하면 좀 그렇지만, 헤어지니까 친구가 생긴 것 같네."

"긁는 거냐?"

"아니, 너무 좋다고."

아부인지 뭔지 알 수 없는 말을 듣고 쓸모없는 수다를 이어갔다. 나는 새로운 연애를 해보는 건 어떠냐고 질문을 받았고 나는 "넌 언제 할 거냐"라고 받아 쳤고 자연스럽게 못 들은 척 무시당했다. 다시 한번 "마지막 연애는 언제였냐"라고 묻자 갑자기 허공을 응시했다. 사실 그런 경험 따위 없다는 건 알고 있다.

"내가 너처럼 생겼으면 대답할 수 있었을 텐데."

"어차피 연애경험이 없으면 똑같은 거잖아."

"너처럼 생겼으면 이유라도 말해볼 수 있을 텐데, 내가 없다 하면 다 똑같이 생각할 거 아니냐. 넌 나 같은 사람의 설움을 몰라."

"솔직히 똑 같은 거 같은데."

마냥 생각 없이 웃으면서 목적 없이 나누는 대화가 즐겁다. 술은 안 마시지만 술자리를 즐긴다는 사람을 이해할 수 있을 것 같다. 이럴 줄 알았으면 친구를 좀 많이 사귀어둘걸. 여기저기 말이라도 걸어볼걸.

"초등학교 때는 나도 친구가 많았는데 좀 잘 잡아둘걸."

"아냐, 넌 너무 찐따라 안돼."

"개 너무하네."

"그래도 착하면 됐지."

"고오맙네요."

욕과 칭찬을 주고받으며 한잔 두잔을 비워냈다. 주변이 점점 시끄러워지는 걸 통해 시간이 흐르는 걸 느꼈고 얼굴이 뜨거워지는 걸 통해 취해가고 있는 걸 느꼈다. 먹다 보니 얼추 배가 불러오기도 했고 술병도 비웠으니 일어나기로 했다. 평소에 먹던 음식과 음료, 항상 하던 대화였기 때문에 새롭다는 느낌은 없었지만 뭔가 활동을 하고 있다는 기분이 들었다. 뭔가 허전했지만 빈 것보다는 낫다는 기분으로 지내다 보니 술 마시러 놀러 다니는 것도 의미 있는 행동인 것 같다.

"술값이 갑자기 기적같이 내리면 좋겠다!!"

"얼마나 더 마시려고 인마."

서늘해진 공기를 들이마시며 걷다가 헤어지고 ㅎ노자서 집으로 향했다. 적당히 취기가 올라서 춥다고 느껴지지는 않지만 코끝은 얼어붙은 듯 얼얼하다. 몸을 잔뜩 움츠린 채 걷다 보니 옆에서 빛을 내뿜는 편의점 간판이 보였다. 들릴까 말까를 생각했지만 비가 내리지 않을 거라 믿고 그냥 걸음을 재촉하기로 했다. 그렇게 평범한 편의점 앞을 지나갈 때 문이 열리고 나오는 누군가와 마주쳤다. 너무나 식상한 전개이지만 피해갈 수 없었다. 은하가 눈 앞에 있었다.

마주친 채 서로 멈춰 서서 어색한 기류를 나누다가 골목 옆 벽에 함께 섰다. 마주친 채 처음으로 건넨 이야기는 "안녕"이었고 충분한 정적을 나눈 후 대화를 요청했다. 다행히도 나의 요청을 받아주었다.

"오랜만이네."

내가 이야기를 꺼내자 은하는 고개를 끄덕이고 "그렇네"라고 반응했다. 무슨 말을 해야 할지 고민했다. 떠오르는 말은 많지만 어떤 말도 혓바닥 위로는 몸소 올라오지 않았다. 처음 꺼낼 말을 결정하기 위해서만 오랜 시간을 썼다. 결국 결정되어 나온 말은 "잘 지냈어?"였다.

"그냥 그렇게 지냈어."

"음… 그렇구나."

"어떤 말이 하고 싶었던 거야?"

너무 오랫동안 시간을 끌었던 건지 단도직입적으로 들어왔다.

"고민을 좀 해봤는데, 일단 미안하다고 말하고 싶어."

은하는 고개를 돌려 이상하다는 눈빛으로 나를 바라봤다.

"그랬구나."

"내가 많이 챙겨주지 못했고, 잘못한 게 많았던 거 같아서 그래. 사과를 어떻게든 해야 하지 않나 생각했어."

"아냐, 넌 딱히 잘못한 거 없어."

잠시 할 말이 또 떠오르지 않았다. 코끝이 차가운 바람에 스쳐 코 먹는 소리가 났다.

"내가 조금만 잘했으면 우리가 이러고 있지는 않았을 텐데."

"뭘 잘못했다고 그렇게 사과를 해. 잘못을 했다면 내가 했지."

이번엔 내가 고개를 돌려 은하를 바라봤다. 내가 말을 잘못해서 죄책감을 느끼게 만든 건가 싶어 머리를 열심히 굴렸다.

"너가 뭘 잘못해."

"둘 다 첫 연애였고 사실 서로 바빴잖아. 그래도 넌 최선을 다 해줬는데, 언제나 근 걸 알고 있었는데 내가 속이 너무 좁았어. 자꾸 귀찮게 굴고 혼자 삐치고 할수록 힘들게 만든 것 같아서 내가 전부 미안하지."

은하는 어째서 저 모든 걸 자신의 탓이라 말하는 것일까. 나를 전혀 탓하지 않기 때문에 오히려 괴롭다. 모든 건 누가 봐도 내 죄였다.

"그게 왜 그렇게 돼? 넌 아무 잘못도 안 했는데. 여자친구인데 제대로 챙겨주지도 않고 그런 생각 하고 있는지도 모르고 혼자 내 잘못이라고 징징대고 있고, 물어보려고 하지도 않고 술이나 퍼마시면서 놀고 있잖아. 나는 전부 내가 병신이라고 그러고 있고 진짜 그런 거니까, 그냥 내 탓만 할 것이지."

비속어와 쌓아 둔 새벽 감성을 섞어서 뱉어낸 발언에 은하는 조금 놀란 것처럼 보인다.

"갑자기 왜 화를 내고 그래."

"아니, 딱히 막 화를 낸 건 아니고."

"너도 화낼 줄 아는구나."

"아니, 그, 미안."

은하는 쪼그려 앉아 벽에 기댔다.

"싸운 기억 없이 헤어진 게 다행인 걸까? 아니면 싸웠더라면

82

뭔가 달랐을까?"

은하가 한 말에 무심코 눈물이 흘렀다. 항상 혼자 생각하고 있던 말이 가장 그리웠던 사람에게서 들리는 순간 머릿속이 울렁였다.

"조금만 열심히 해서, 잘했더라면 공연도 보러 가고, 여행도 다닐 수 있었을 텐데."

은하 쪽으로 눈을 돌렸다. 안 그래도 맑고 깨끗한 눈이 고인 물방울로 더 영롱해 보였다. 입에서 나오는 입김과 긴 생머리는 청으 보는 것처럼 새로운 자극으로 다가와서 내 안에 담겼다.

"그렇네… 공연 보러 가기로 했었는데."

가녀린 목소리가 목에서 한 번 막혀서 힘겹게 나왔다. 나는 넋을 놓은 채 머릿속에 떠오른 생각을 그냥 내놓게 됐다.

"보러 갈 수는 없을까?"

은하는 피식 웃으며 고개를 들었다.

"아무래도, 음, 힘들지 않을까?"

"정말 나한테 많이 미안했어?"

"응, 그러니까 헤어지자고까지 말했지."

"사실 나도 고민이 많았어. 만나는게 맞기는 하는지, 하루하루 답안지 없는 시험만 치는 것 같고 나는 왜 이럴까, 너는 왜 그럴까. 사실 헤어지자고 했을 때 차라리 싸우지 않아서 다행이었을지도 몰라."

"그래, 그런거야."

"근데 그건 진짜 개소리잖아."

"어?"

은하가 당황해서 내 쪽을 바라봤다. 당황한 건지 "그런가" 정도의 말을 반복했다.

"서운하면 말을 해야 했어. 쌓인 게 있으면 풀어야 했고 화가 나면 화를 내고, 울고, 짜증을 내야 하는데 난 그걸 몰랐어. 아니 솔직히 그래야 한다고 생각은 했지만 무서웠어. 그냥 싸우지 않는 게 행복한 줄 알았고, 좋은 사람이 되는 건 줄 알았고, 계속 함께할 수 있을 줄 알았어. 근데 우린 싸웠어야 해. 그랬어야 했던 거야."

"이미 헤어졌잖아. 그런 소리 해서 뭐하자고. 그래 사실, 나도 힘들었어. 이렇게 말하길 바라는 거야? 그래, 그래서 헤어지자 그랬어. 내가 바보 같았던 게 제일 힘들었어. 계속 변해가고 자꾸만 멍청한 모습만 보여주는 내가 너무 힘들었어. 너는, 넌 처음 만났을 때, 묵묵하게 설문조사를 받아주고, 몇 번을 잊어버리고 다시 불러 세워도 전부 들어주고, 도서관에서 친구가 되어줬을 때랑 그대로인데 난 왜 그럴까. 발전해서 더 어울리는 사람이 되고 싶었는데 그게 되지를 않았어. 너한테 그런 게 익숙하지 않다는 걸 알면서도, 그래서 조금이라도 확인받고 싶었어. 혹시 내가 고백한 걸 거절하지 못해서 받아준 건 아닐까? 사람한테 나쁜 말을 도무지 못 해서 나를 만나는 건 아닐까? 그런 질문을 차마 먼저 할 수가 없었어. 너는 만약 진짜 그렇다고 해도 말하지 못할 거라고 생각했어."

나는 소위 말하는 말로 벙쪘다. 그 눈물 앞에서 심장이 뛰고 술기운이 섞인 피가 몸에 도는 것처럼 느껴졌다.

"그래서, 계속 귀찮게 굴다가, 바보같아, 헤어지자고 그랬어. 아픈 거 낫자마자, 오래간만에 만나서, 급하게 그랬어. 잡아줄 것 같았어. 근데 막상 그러려고 했더니 내가 무슨 생각을 하는 건지, 너무 잘못됐다고 생각해서 정떨어지겠다고 걱정했어. 그렇게 돼도 어쩔 수 없다고 생각해서, 잡아주지 않으면 미련 가지지 말고 보내주겠다고 생각했어. 처음부터 끝까지 마음대로지? 미안해… 나도, 나도 내가 바보 같아."

처음부터 끝까지 나는 은하를 배려하고 있다고 생각했지만 전부 상처를 주게 될 뿐이었다. 여기서는 위로의 말을 해야할 것이다. 너의 잘못이 아니다, 잠시 의견이 엇나갔다고 이야기하며 밤하늘처럼 평온하고 하지만 어쩌면 공허하게 만들어 줬을 것이다. 그렇지만 나에게, 은하에게 화가난다. 배려라는 생각은 욕심으로 흘러가 입 속을 가득 채웠다.

"나는, 너랑 만나고 많이 변했어. 긍정적이든 부정적이든 네 생각과는 전혀 다르게 그렇게 됐어. 붙잡지 않은 것도 그런 게 아니라고"

은하는 하얀 입김을 내쉬며 내게 정면으로 서 있다. 저 순수한 눈망울을 더 이상 자극하고 싶지 않지만 그러지 않는다면 이대로 끝이 날 것이다.

"아무 일도 없을 때면, 조금이라도 시간이 남을 때면 휴대폰 알림창만 보고 있어. 어떻게든 진동이 오기만 하면 가슴이 뛰고 확인하고 지금은 실망하고, 아무 일도 없는데 무작정 밖에 나가는 습관도 생겼어. 이건 저번 겨울, 사거리 신호등 앞에서부터 생겼는데 아직도 그러고 하는 습관도 있어. 지나가던 여자만 보면 놀라서 눈을 돌리고 도망치듯 자리를 떠. 술만 마시면 신경이 쓰이고 고급스러워 보이는 음식점에는 들어가지도 못하고 멍청하게 그래. 아니, 사실 이게 중요한 건 아닌데. 근데 어차피 말했으니까 다 말하면 다른 사람이 보이게도 내가 바뀐 게 보인대. 옛날부터 알던 친구는 내가 우는 거랑 웃는 걸 보고 놀라기도 하고 엄마는 내가 밝아진 것 같대."

"그래서, 어쨌다는 거야…."

"그러니까, 너는 바뀌었다거나 퇴화한 게 아니야. 감정이 변해서 헤어지자고 한 걸 받아들인 것도 아니고 꼴 보기 싫어서 붙잡지 않은 게 아니라고. 아프다는 사람이 계속 연락해와서 심심할 틈을 안 주잖아. 하루하루를 기대하게 만들고 채워주고, 또 뭐가 그리 착한지 그거 서운한 걸 얘기를 안해서 이렇게 추잡하게 만드냐? 헤어지자고 할 거면 좀 못나지고 와서 헤어지자고 하던가!"

뒤이어 들리는 건 숨소리뿐인 길거리에 나는 주저앉아 고개를 파묻고 "이게 아닌데"라는 말만 중얼거렸다. 나는 고개를 파묻었다. 도무지 눈을 마주칠 수가 없다. 정말로 하고 싶은 말 하나가 떠오르는데 도무지 뱉기가 두렵다. 지금의 정적이 고요한 겨울의 공기가 따갑다. 찬공기는 내 옆을 찌르는 것처럼 느껴진다. 문득 하늘이 어떨지 궁금해졌다. 고개를 들어 바라본 하늘에서 어떤 별도 찾을 수는 없었지만 맑고 깨끗했다. 저 너머에는 여러 아름다운 별들이 빛나고 있을 것이다. 마음이 평온해지고 숨이 진정된다. 조용한 분위기는 내가 말을 해주기만을 기다리고 있다고 느껴진다.

"나, 너 아직, 진짜, 진짜, 좋아하는 거 같아."

더듬으며, 울먹이며 겨우 찾아낸 제일 하고 싶었던 말. 그렇게 뱉은 말에 후회는 없다. 후회보다는 후련함이, 정답을 찾은 것 같다는 희열로 몸이 떨렸다. 하지만 다시금 심장이 뛰고 옆을 바라보기가 두렵다. 은하의 말에서 나의 내일이 결정되겠지만 나는 그 결정을 따르고 싶다고 생각했다.

하늘에서 차가운 빗방울 대신 따스한 눈방울 내렸다.

가면

어떤 남자가 가벼운 차림으로 책상 앞에 앉아있다. 남자는 가벼운 복장과는 어울리지 않는 무거운 표정으로 집 안의 분위기를 우중충하게 만들고 있었다. 물론 복장을 제외하나면 이 분위기는 그의 모습과 잘 어울렸다. 우락부락 이라는 표현이 떠오르는 덩치에 분명 피해의 흔적이지만 오히려 공포가 느껴지는 상처는 어두운 분위기에 딱 맞았다.

그렇다면 어두운 표정의 눈 속에는 무엇이 있었나. 그의 눈 앞에는 석판에 가깝게 보이는 가면이 놓여있었다. 먼 과거의 유물이 아닐까 생각이 드는 두꺼운 석판에는 눈을 위한 구멍이 작게 뚫려 있었고 주변에는 엉성한 채색이 칠해져 있었다. 남자는 자신이 도대체 왜 집에 돌덩이를 들였는지 제대로 이해하지 못하고 있다. 분명 자신이 어디선가 챙겨 집까지 가져왔으나 꿈에서 본 장면처럼 머릿속에 제대로 구성되지 않았다. 아마 남자는 평소에 하던 대로 눈에 보였기 때문에, 가져가고 싶다는 감정에 사로잡혀 집으로 챙겨왔을 것이다. 남자는 그런 사람이었다.

그렇게 가만히 가면의 눈두덩이 속을 가만히 들여다보고 있자니 남자는 기분이 묘해졌다. 그의 눈 속에 담긴 가면의 모습은 신비로웠다. 신비로움은 곧 앎다움을 칭송하고픈 마음을 만들어냈다. 동시에 남자는 자신의 얼굴이 부끄러워졌다. 남자는 급하게 손을 뻗어 가면으로 자신의 얼굴을 덮었다. 남자의 마음속은 생전 느껴보지 못한 환희로 가득 찼다. 자리에서 일어나 거울 앞으로 다가가 벽에 손을 짚었다. 운이 없게도 손을 짚는 벽에는 나무 가시가 튀어나와 손으로 들어갔다.

그 순간 남자에게서 환희가 사라져갔다. 남자가 너머로 본 손에서는 붉은 피가 팔을 따라 흐르고 있었다. 마치 행복했던 감정이 피와 함께 몸에서 빠져나가는 것처럼 느껴졌다. 하지만 그 외에는 아무렇지 않았다. 따갑다는 느낌, 손바닥의 고통, 상처로 바람이 들어가는 기분. 그 무엇도 남자에게 다가오지 않았다. 그저 방금의 환희를 다시 느끼고 싶다는 생각과 아쉬움뿐이었다. 남자는 방을 더럽히고 싶지 않았기에 때문에 손에 붕대를 감고 방을 닦았다. 이후 가면 벗고 침대에 누워 눈을 감았다.

아침에 눈을 뜨자 남자는 답답함을 느꼈다. 이불은 자신을 묶어두는 것 같았고 손은 멋대로 움직이며 여기저기 휩쓸고 다녔다. 한순간 손끝에 느껴진 감각이 자신을 부르는 것을 느낀 남자는 그대로 감각의 근원을 찾았다. 지난밤 자신에게서 중요한 무언가를 뺏어 갔던 이상한 가면이 감각의 출처였다. 얼굴을 가면에 넣듯이 가면을 쓰자 남자는 그제야 편하게 숨을 쉴 수 있었다.

가면을 쓰자 생긴 제한된 시야로 바로 본 세상에서 밝은 빛이 방으로 새어 들어왔다. 빛을 본 남자는 밖으로 나가고 싶다는 욕구가 샘솟았다. 하지만 자신의 모습에 그는 자신이 없었다. 술에 빠져 한동안 그것 외에는 관심 없이 지내온 근환에 의해 자신의 모습은 지저분하고 엉망이었다.

그러나 그의 욕구는 그의 마음대로 되지 않았다. 자꾸만 강해지는 욕구를 그는 주체하지 못하고 방의 문을 여는 것부터 시작했다. 매일 밖을 나가기 위해 거치던 계단이 너무나 높아 보였다. 심장은 소리를 내며 울렸고 사라질 줄만 알았던 부끄러움이 마치 누군가가 부른 것처럼 갑작스레 난입하여 얼굴을 붉게 달궜다

그는 결국 계단의 바로 앞에 멈춰섰다. 도무지 발을 내밀 용기가 생기지 않음이 원이었다. 자신의 한심함에 눈앞이 흐릿해지는 것처럼 느껴졌다. 그는 정신을 차리자는 말을 되뇌며 몸을 움직였다. 하지만 그 순간 계단의 낡은 나무가 쪼개지는 것은 그의 의지와는 전혀 상관없는 일이었다. 그는 자신의 덩치를 제어하지 못한 채 요란한 소리를 내며 아래로 굴러갔다.

그의 인생 살면서 계단을 가장 빠른 속도로 내려간 날이 분명했다.

가장 아래층에 도착한 남자는 그대로 누워있었다. 멍하니 누워있으니 아무런 생각이 들지 않았다. 고통은 가면을 낀 탓에 전혀 남아있지 않았고 자신이 왜 나오기를 꺼렸는지조차도 남아 있지 않았다.

그는 착실히 가면에게 필요 없는 것들을 버려갔다.

쓰러진 몸을 일으킨 남자는 가면의 먼지를 털어냈다. 내려온 김에 올라가는 의미는 없을 것 같으니 길거리로 나왔다. 몸에 묻은 먼지는 햇빛에 반짝이는 것 같으니 길거리로 나왔다. 몸에 묻은 먼지는 햇빛에 반짝이는 것처럼 보이기도 했다. 남자에게 큰 관심사는 아니었지만 주변의 시선을 꽤 받았을 것이다.

오랜만에 걷는 낮의 길거리는 가면의 작은 눈구멍으로도 새로운 것들을 보이게 만들었다. 날때부터 살아온 거리에는 과거의 기억이 하나하나 담겨있었다. 혼자서 걷고 있다는 점을 제외하면 어릴 적을 다시 누리는 것만 같았다.

비어있는 옆자리는 생각보다 컸다. 태어난 순간부터 함께해온 가족의 자리가 비어있다는 사실은 심장을 움직였다. 틀림없는 분노의 감정이었지만 남자는 화를 식혔다. 이것은 가면의 영향이 아니었다. 남자는 이 분노를 잃고 싶지 않았다. 가면에게 내어주기에는 어딘가에 쓸모가 있을 것이라고 본능적으로 느낄 수 있었기 때문이었다.

남자는 다음날의 목적지를 결정하고 집으로 돌아갔다.

남자는 다음날 침대에서 일어나 가면을 챙기고 밖으로 나섰다. 그는 거리를 헤쳐 그와 비슷한 남자들이 있는 대련장으로 갔다. 그곳에는 싸움을 통해 관람꾼들에게 돈을 받는 자들이 모여있었다. 벽에는 좁은 공간과는 어울리지 않는 투척용 창과 단검들이 걸려있기도 했다. 남자에게는 익숙한 곳이었지만 어린 시절이 지나고 처음 와보는 장소였다.

남자는 경기장 위에 섰고 가면을 썼다. 반대편에 선 상대는 손을 풀었다. 남자는 테스트라는 면목으로 싸움을 붙게 해달라고 했다. 상대는 가면을 쓰는 남자를 보고 이상한 눈빛으로 바라봤다. 문득 상대 앞에서 가면을 꼈다는 부끄러움과 있어선 안 될 장소에 있다는 죄책감이 밀려왔다. 하지만 이미 시작한 이상 그는 주먹을 뻗을 수밖에 없었다.

남자와 상대의 싸움을 길어졌다. 남자는 싸움에서 멀어졌던 탓에 몸을 원하는 대로 움직이기 힘들었다. 하지만 다행인 점은 상대는 오랜 시간이 흘러 지쳐있었다. 남자는 일방적으로 폭행을 당했지만 고통은 느끼지 않았다. 오히려 지난 기억의 찝찝함과 죄책감이 지워져 가고 있었다. 그의 몸에는 피격의 흔적이 훤히 남아있었지만 이제부터 그의 시간이었다. 그는 지쳐서 숨을 거칠게 쉬는 상대의 앞에 다가가 주먹을 뻗었다. 귓가에 누군가의 목소리가 들리는 것 같았지만 귀에 담기지 못하고 흩어졌다.

뻗은 주먹이 상대의 몸에 닿아 상대가 움츠러들 때마다 남자는 자극을 느꼈다. 누군가를 이겼다는 쾌감, 다시금 느껴보는 강함, 승리의 감각은 새롭게 다가왔다. 연속으로 뻗는 주먹은 오히려 즐거움이 부활하는 것 같았다. 다음 짜릿함을 위해 주먹을 뻗는 순간 몸이 무언가에 밀려 넘어졌다. 경기장 밖에 있던 사내가 올라와 남자를 막기 위해 밀쳐 쓰러트린 것이었다. 옆에서 함께 보던 사내도 올라와서 남자를 막기 위해 공격을 가해 멀리 떨어트렸다.

사내의 행동은 정당한 행동이었으나 남자에게는 의미가 달랐다. 순간 남자의 감정이 깨끗해지고 말았다. 쾌감, 자극은 더이상 남자에게 남아있지 않았다. 남자는 얼굴에 손을 올렸다. 정확히는 차가운 가면 위였다. 남자는 바닥에 주저앉아 그대로 가만히 있었다. 움직일 이유를 생각하지 못했다가 맞을지도 모른다.

남자는 집으로 돌아가 몸을 씻었다. 흐르는 핏물들을 보며 자신에게 무엇이 사라졌나 되짚어 보고자 했다. 남자에게는 무엇이 떠올랐나. 기억을 되짚어볼수록 가슴이 울렁였지만 다른 단어들은 떠오르지 않았다. 울렁이는 가슴은 답답함으로 이어졌고 남자는 더 깊은 기억을 거슬러 갔다.

햇빛이 울렁이는 공원, 초목이 우거진 것으로 보아 여름이다. 겨우 찾은 그늘아래 앉아 아무런 움직임도 없는 남자의 어린 시절이 남자가 찾은 과거이다. 매미 소리와 달궈진 모래밭은 선명하여 마음을 안정시켜줬다.

그는 분노라는 감정을 숨겨두었다. 감춰두었던 그 감정을 쓸 곳을 그는 회상에서 발견했다. 지금은 보이지 않는 자신의 여자 형제가 기억 속에 보였다.

남자는 다음날을 위해 잠을 자야겠다고 결심했다.

그 여느 날들처럼 남자 침대에서 눈을 떴다. 지난날들의 기억이 확실하게 떠올랐다. 자신이 가면을 쓰고서 손바닥에 상처를 낸 일이 그림처럼 그려졌다. 자신의 앞에 쓰러진 상대와 자신을 막기 위해 달려온 사내들도 표정을 제외하고는 선명하게 그려졌다. 하지만 그 기억 속에서도 지금도 확실하게 고통은 존재하지 않았다. 남자는 손을 한 번 들여다보고 책상에 놓아둔 돌판을 바라봤다.

남자는 태양이 빛을 마구 뿜어대는 길거리로 나섰다. 길거리의 사람들은 한적하면서도 거슬릴 정도로 배치된 것 같았다. 그 사이를 파헤쳐 남자는 거리 한복판으로 향했다. 품속에 있는 가면에 의지한 표류에 가까운 느낌이었다. 그는 걸음의 속도를 높였다. 그만큼 숨소리는 거세져 갔다. 그 숨소리와 속도는 지난날 추억에서 간직해둔 분노에서 나왔을 것이다.

외곽에 떨어진 좁은 건물터에 남자는 도착했다. 젊어 보이는 청년 서너 명이 이야기를 나누고 있었다. 청년들을 본 남자는 급한 마음을 진정시키며 청년들을 향해 걸음을 옮겼다. 청년들은 손에 들고 있던 물건을 주머니 속으로 감추며 남자에게 적개심을 표했다. 청년들의 손에 있던 것은 물건을 주머니 속으로 감추며 남자에게 적개심을 표했다. 청년들의 손에 있던 것은 공사장과 청년들의 복장이랑 어울리지 않는 금장식품으로 보였다. 남자는 품에 있던 가문을 쓰고 청년들을 향해 속도를 높였다.

가면을 쓴 남자의 마음속은 복수심으로 가득찼다.

청년들은 피로 덮인 모래밭에 정신을 잃고 누웠다. 스스로 누웠다면 평화로운 광경이었을지 모르겠지만 당연히 원인은 가면에 피를 묻힌 남자였다. 남자는 청년들을 상대로 승리를 거둔 듯 보였다. 남자의 몸도 전혀 멀쩡하지 못한 모습이지만 청년들과 달리 두 발로 서있었다. 온몸에 멍이 가득하고 왼쪽 팔은 제대로 움직이지 않았다. 가면 뒤에 숨어 하늘을 바라보며 숨을 겨우 내뱉었다. 남자는 청년의 주머니에서 장신구를 꺼내 들었다. 자신의 주머니에 장신구를 옮겨 담고 다시 길을 나섰다.

마을의 평범한, 하지만 하나뿐인 공동묘지. 길거리보다 훨씬 한적해서 남자는 아무렇지 않게 가면을 쓰고 있었다. 남자는 어느 무덤에 무릎 꿇고 앉아 청년들에게서 돌려받아온 장신구를 주인에게 돌려주었다. 무덤에는 남자와 같은 성이 적혀있었다.

남자는 싸움을 시작하며 어떤 기대를 품고 있었다. 자신을 고통스럽게 만들어놓은 청년들에게 복수함으로써 우울했던 한동안이 나아지리라고, 복수의 통쾌함을 즐길 수 있지 않을까 하는 기대를 품고 있었다. 하지만 그의 기대는 없었던 것이 되었다는 말이 어울려졌다. 그는 청년들과 싸우며 마음속에 있던 복수심이 흩어졌다. 아마 장신구가 없었더라면 정말 아무것도 없는 싸움으로 끝났을 것이다.

남자는 하늘을 가만히 바라봤다. 품속에 있던 가면을 꺼내서는 태양에 비춰보고 바닥에 떨어트려 눈을 맞추었다. 그의 눈에 보이는 가면은 신비로움 이상의 울렁임을 일으켰다. 시야를 위해 뚫린 구멍 너머에는 여러가지 색들이 뒤엉켜 타오르는 것처럼 보였다. 자신에게서 결핍된 모든 것들이 그 속에 들어있다고 남자는 생각할 수 있었다.

남자의 마음속은 공포로 가득찼다.

하찮아 보이는 돌가면에 남자는 너무나 많은 것을 빼앗겼다.

남자는 자신의 선택이 잘못되었다고 뉘우치고 싶었다.

남자는 후회하고 있었다.

고개를 숙이고 있던 남자는 눈에 못 보던 물체가 빠른 속도로 난입했다. 물체는 날카로운 머리를 이용하여 자신의 배를 뚫고 나와 있었다.

남자는 후회 없이 삶을 마무리 하게 되었다.

하늘의 음표들

PROLOGUE

"휴···. 다 됐다."

"수고하셨습니다."

"너도 수고했어. 이제 들어가서 좀 쉬자."

"네 알겠습니다."

나는 계산대 뒤에 배치된 소파에 가서 앉았고 하늘은 충전기
가 배치된 나무 의자에 정자세로 앉았다.

"하늘아"

"부르셨습니까."

"넌 누구야?"

"저는 선생님의 인공지능 로봇 도우미 하늘입니다. 선생님
을 돕기 위해 만들어진 존재로서 최선을 다하겠습니다."

"너무 딱딱한데···. 좀 더 부드럽게 말할 수는 없니?"

"저의 시스템을 선생님께서 바꿔주시면 부드럽게 말하는 것이 가능합니다."

"너 스스로는 못 바꾸는 거야?"

나는 하늘이 스스로 바뀌기를 원한다. 인공지능이지만 인간처럼 감정을 가지고 상대방의 말에 귀 기울이며 도울 수 있는 그런 인공지능. 그게 하늘이 되기를 바란다.

"저는 인공지능 로봇입니다. 저 스스로는 그런 것들을 바꿀 수 없습니다."

하늘의 칼 같은 대답에 나는 입을 열지 못했다. 아니 열 수 있어도 열지 말아야 한다. 하늘에게는 '그것'의 기능이 존재한다. 하지만, 하늘이 스스로 자기 안에 탑재된 '그것'을 깨닫기 전까지 입을 열고 싶지 않다.

"그래. 그럼, 뭐. 어쩔 수 없지. 아무튼 내일 드디어 가게 오픈 날인데 손님 맞이 잘할 수 있겠어?"

"확실한 답은 드릴 수 없지만, 최선을 다해 손님들을 맞이하는 것은 가능합니다. 손님들 뿐만 아니라 선생님께도 긍정적인 효과가 나도록 최선을 다하겠습니다."

"그래. 우리 같이 열심히 해보자."

드디어 내일 '하늘의 음표들'이라는 악기점의 문이 열린다.

1화

짤랑

경쾌한 방울 소리와 함께 문이 열리며 후드티에 청바지를 입은 한 청년이 들어왔다.

"어서 오세요."

"어서 오세요."

내가 인사하자 옆에 있던 하늘도 함께 인사했다 후드티 청년은 나와 하늘을 보며 머리를 까딱 숙여 인사했다. 그러고는 주위를 두리번거리더니 바이올린이 진열된 곳으로 가서 여러 종류의 바이올린을 눈으로 훑기 시작했다. 나는 손님을 위해 나무로 된 기본적인 바이올린부터 화려하게 만들어진 바이올린들과 어울릴 만한 연주를 틀었다.

"10월의 어느 멋진 날에."

부드러운 현들의 소리가 어우러져 나오는 곡이다. 감동적이면서도 편안한 느낌을 주는데 뭔가 벚꽃이 만개한 거리를 연인과 함께 걷는 듯한 상황이 상상된다. 옆에서 하늘은 눈을 감으며 연주를 감상하고 있었다. 하는 척일 뿐이겠지만, 하늘이 언젠가는 진심으로 감상할 날이 올 것이라고 나는 믿는다.

나는 연주를 반복 재생 해놓고서 전자 바이올린을 보고 있는 손님의 옆으로 갔다.

"안녕하세요."

"아, 안녕하세요."

"바이올린 보러 오셨어요?"

"아, 네. 이번에 바이올린 시작해 보려고 하나 사려는데 인터넷에서 사려고 검색해 보니까 자기 팔에 직접 대보고 사는 게 좋다고 해서요."

"아, 이번에 시작하시는구나. 그러면 이건 어떠세요? 가장 기본적인 바이올린이고 초보자분들이 많이 사용하시는 바이올린이에요."

"아, 그럼 한 번 잡아봐도 될까요?"

"물론이죠. 그런데 이건 전시용이라서 잠깐 안에서 들고 올게요. 그동안 이 친구랑 얘기하고 있어 보세요."

"네?"

"정식으로 인사드리겠습니다. 저는 이 가게의 인공지능 로봇 도우미 하늘이라고 합니다. 손님께서 불편함을 느끼시지 않도록 최선을 다하겠습니다."

나는 내 앞에 서 있는 이 뭐라고 해야 할지 모를 이 생명체가 정말 당황스럽다. 사람인 줄 알았는데 갑자기 로봇이라고 정체를 밝히니 나뿐만 아니라 어느 사람이 왔어도 당황했을 것이다. 이런 로봇은 소설이나 영화에서만 봤는데 실제로 만들어져서 내 앞에 나타나니 조금 신기하면서도 무섭다. 내가 아무 말도 못 하고 서 있자 로봇이 먼저 내게 말을 걸었다.

"제가 신기하십니까?"

정곡을 찔린 느낌이다. 잘은 모르겠지만 내 표정에서 이 로봇을 내가 신기해하고 있다는 사실이 대놓고 드러나 있는 것 같은 기분이 들었다.

"로봇…. 맞죠?"

내가 조심스럽게 묻자, 로봇은 아까와 비슷한 답을 하였다.

"저는 인공지능 로봇 도우미 하늘입니다. 손님께서 적어도 이 공간 안에서 불편함을 느끼시지 않도록 하는 것이 제가 만들어진 이유입니다."

하늘이라는 로봇의 대답을 듣자 여러 궁금증이 샘솟기 시작했다.

"혹시 팔 한 번 만져봐도 될까요?"

사람에게는 조금 당혹스러운 질문처럼 느껴질 수 있는 질문을 했지만, 하늘은 당당하게 한치의 망설임도 없이 대답했다.

"물론입니다."

하늘의 대답을 듣고 조심스럽게 팔을 만져보자, 인공적인 피부 너머로 강철과 같은 금속의 재질이 느껴졌다. 영화에서 주인공들이 이런 로봇을 만져볼 때 어떤 느낌을 받는지 알게 된 것 같아 조금 뿌듯했다. 그런데 하늘의 팔에서 조금의 열이 느껴졌다. 우리가 평소에 만지는 강철의 차가움이 아니라 마치 인간에게서 느낄 수 있는 체온이 느껴졌다. 이 점에 대해서도 하늘에게 물어보고 싶다는 생각이 들었지만, 사람에게 물어보는 것 같아 곧바로 생각을 그만두었다. 내가 팔에서 손을 떼자, 하늘이 물었다.

"어떠십니까? 인간의 팔과 완전히 다릅니까?"

"네, 다르네요. 하지만, 사람의 체온과 비슷한 열이 느껴져요. 속 재질만 바꾼다면 만져도 로봇이라고 믿기지 않을 정도로요."

나는 물어보지 않았지만, 간접적으로 물어본 꼴이 되었다. 그런데 하늘이 대답해 주지 않아도 대답은 충분히 된 것 같았다. 내 상상일지도 모르겠지만, 하늘에게는 인간과 같아지고 싶다는 마음이 있을 가능성이 높아 보인다.

"혹시, 인간이 되고 싶나요?"

내가 물었다. 그러자 이번에는 아까처럼 단번에 대답이 나오지 않고 조금 뜸을 들이더니 대답했다.

"저는 저희 사장님께서 만들어주셨습니다. 제가 처음 이 세상에서 눈을 떴을 때 선생님께서 물어보시길 인간과 같은 마음을 가지고 싶냐고 하셨습니다. 저는 스스로 판단했습니다. 이런 인간 세상에서 인간과 같은 마음을 가진다면 인공지능 로봇으로서 인간과 더 많이 교감할 수 있고 인간의 부름을 더 많이 받을 수 있겠다고, 그래서 저는 긍정적으로 대답했고 선생님께서는 저에게 인간과 같은 마음을 가질 가능성을 제 몸에 넣어주셨습니다."

그때 믿을 수 없는 일이 일어났다. 인간의 마음을 가질 가능성을 지닌 이 '인공지능 로봇'이 얕게 웃더니 내 앞에 있는 바이올린 어깨에 가져가더니 연주하기 시작했다. 눈을 감으며 이 연주하기 시작했다. 눈을 감으며 이 연주에 감정을 이입시키며 연주하기 시작했다. 연주함에 따라 표정이 자연스럽게 변하는 모습이 보였고 나는 이 광경을 믿을 수 없었다. 하늘이 연주한 곡은 이 가게에서 흘러나오는 곡인 '10월의 어느 멋진 날에' 였다. 하늘이 연주를 마치고 나에게 물었다.

"혹시 이 연주를 아십니까?"

"알긴 압니다."

나는 마음속에서 벅차오르는 느낌을 받았다.

"저는 인공지능 로봇이라 이 연주가 어떤 느낌을 주는지 알지 못합니다. 저희 사장님께서는 이 연주가 감동적이면서 편안한 느낌을 준다고 하셨는데 혹시 손님께서는 어떤 느낌을 받으시는지 궁금합니다."

이 연주는 참 듣기 좋다. 어떤 사람이 들어도 아름답다는 평을 내릴 곡이다. 특히 이 인공지능 로봇 하늘의 연주를 듣는다면, 유명한 평론가들도 놀라서 자빠질 정도로 아름답고도 감동적인 곡이다. 하지만, 나는 아니다.

"저는…. 슬픕니다."

"왜 그런지 물어봐도 되겠습니까?"

나는 잠깐 망설였다가 대답했다.

"저희 어머니께서 이 곡을 참 좋아하셨어요. 제가 태어날 때
도 이 곡을 들으며 안정을 취하셨다고 하셨고 제가 취업하고
독립하면 바이올린을 배워서 이 곡을 직접 연주해 보시겠다고
하셨어요. 근데 마침 제가 몇 달 전에 취업에 성공했습니다. 그
래서 어머니 바이올린을 첫 월급으로 사드리려고 했는데…."

눈물이 피부를 타고 흘러내리는 것이 느껴졌다.

"어머니께서 교통사고를 당하셔서 이제 팔을 못 쓰게 되셨
어요. 교통사고를 당하셔서 이제 팔을 못 쓰게 되셨어요. 아직
도 입원해 계시는데 제가 병문안 갈 때마다 이 곡을 연주하지
못한 게 너무 아쉽다고 하시더라고요. 저도 그런 사실이 너무
안타까운데 어머니는 얼마나 안타까우실까요."

"손님. 지금 많이 슬프신 것 같습니다. 휴지를 가져다드릴 테
니 조금만 기다려 주십시오."

양쪽 눈에서 흘러내린 눈물이 바닥에 떨어졌다. 가게 안에서 흘러나오는 이 연주가 나의 감정을 더욱 끌어올리고 있었고 내가 눈물을 참지 못한 것이었다. 그때 하늘이 휴지를 손에 들고 있었고 마침 바이올린을 가지러 간 사장도 바이올린을 들고 내 앞에 서 있었다.

"무슨 일이에요? 저희 하늘이가 뭔 짓 했어요?"

사장은 나를 보며 놀란 듯 물었다.

"아녜요. 그냥 좀 슬퍼서…."

내가 대답하자 옆에 있던 하늘이 내게 휴지를 건네며 말했다.

"우선 이걸로 눈물을 닦으십시오."

"아, 감사합니다…."

눈물을 다 닦아내자, 사장과 하늘이라는 로봇이 나를 쳐다보고 있었다. 나는 둘에게 훌쩍이며 말했다.

"바이올린을 사러 온 이유도 어머니 앞에서 제가 이 곡을 연주해 드리고 싶어서 사러 왔어요."

내가 말을 끝마치자, 사장이 나에게 바이올린을 건네주며 말했다.

"효자시네요. 손님께서 이 곡을 연습하시고 어머니 앞에서 연주하신다면 어머니께서도 분명 손님처럼 아니, 손님보다 더 눈물을 흘리실 것 같습니다."

사장은 나에게 특별히 십 퍼센트를 할인해서 바이올린을 계산해 주었고 어머니 앞에서 연주를 마치고 나면 다시 가게에 찾아와서 우리 둘 앞에서도 바이올린을 연주해 달라고 말했다. 나는 당연하다는 말투로 알겠다고 말했고 옆에서 하늘이 기대하겠다고 덧붙였다. 가게를 나오자 따스한 햇볕이 나를 반겨주었다. 참 신기하다. 사람도 아닌 사람처럼 생긴 로봇에게 내 이야기를 해주다니. 이때까지 아무에게도 말해주지 않은 이야기인데 내가 사람보다 로봇에게 먼저 말해줄 줄은 나도 몰랐다. 하지만, 사람이든 로봇이든 말해주고 나니까 속이 후련한 느낌이 들었다. 왠지 오늘은 기분 좋은 하루가 될 것만 같은 기분이다.

"어땠어? 네 첫 손님이시잖아."

내가 묻자, 하늘이 고민하는 듯하더니 대답했다.

"음악은 사람의 경험마다 다른 느낌을 주는군요…. 처음 알았습니다. 저는 이때까지 선생님께서 말씀하신 느낌을 모든 사람이 느끼는 줄 알고 있었습니다. 그래서 아까 저 손님께도 어떤 느낌이 드시냐고 물어봤을 때 당연히 선생님과 같은 말들이 나올 줄 알았는데…. 조금 놀랐습니다. 하지만, 이런 것들을 배워가며 성장해 나가는 게 저의 삶이라고 생각합니다."

드디어 하늘이 첫걸음을 내디뎠다. 비록 하늘이 겪어나갈 일에 비하면 작디작은 한 걸음이겠지만, 하늘의 '그것'이 잘 작동하고 있다는 사실에 나는 만족한다.

"그래, 일단 좀 쉴까?"

"네, 알겠습니다."

나는 계산대 뒤에 배치된 소파에 가서 앉았고, 하늘은 나무 의자에 앉아서 충전을 시작했다. 소파에 앉으니 잠이 솔솔 오는게 삼십 분 후에 나를 깨워달라고 하늘에게 말한 후에 두 눈을 감았다.

2화

"이번 주는 비가 계속 내릴 것으로 예상되며 아침마다 우산 혹은 우비를 꼭 챙겨주셔야겠습니다. 오늘 오전 9시 뉴스 마치 겠습니다. 감사합니다."

스마트폰에서는 비 소식에 관한 뉴스가 나오고 있고 밖에서 는 이미 비가 추적추적 내리고 있다. 햇볕 한 점 보이지 않는 날 씨에 사람들은 무기력해지기 마련이지만, 비가 그치는 날에는 햇볕이 환하게 들어오고 사람들은 기분이 좋아진다. 마치 고통 다음에 즐거움이 오는 인생과도 비슷한 느낌이 든다. 9시 뉴스 가 끝나고 다음 프로그램으로 넘어갈 때쯤 가게 문에 표시된 'close'를 'open'으로 바꾼 후 계산대에 서 있으며 스마트폰을 끈다.

"하늘아, 너도 이제 이리 와."

"네, 알겠습니다."

플루트 쪽 공간 바닥을 물걸레질하고 있던 하늘에게 그만 쉬라는 의미로 말을 건넸다. 하늘은 물걸레를 원래 자리에 가져다 놓은 후에 내 옆에 서서 비가 내리는 밖을 쳐다보고 있었다.

"하늘아."

"부르셨습니까."

"오늘 기분은 어때?"

"평소와 다르지 않습니다."

"그렇구나."

로봇은 참 신기하다. 날씨가 좋든 나쁘든 상관 없이 그저 자기 할 일만 묵묵히 하는 저 모습이 어떻게 보면 신기한 것 같으면서 존경스럽다. 미래에는 인간들이 의식만을 남겨둔 채 신체를 로봇으로 옮긴다고들 하는데 과연 그때도 비가 오는 날에는 무기력해질지 궁금하다. 그때 한 소녀가 들어왔다.

짤랑

"어서 오세요."

"어서 오세요."

"안녕하세요."

소녀는 쓰고 온 우산을 털고 우산통에 넣더니 저번 손님과는 다르게 구두로 인사를 건넸다. 그러고는 계산대 앞까지 성큼성큼 걸어오더니 물었다.

"피아노 어디 있어요?"

소녀의 당돌함의 나는 잠깐 당황했지만, 옆에 있던 하늘이 대신 대답해 주었다.

"플루트 옆 공간에 갖춰져 있습니다. 손님 기준 오른쪽입니다."

하늘이 대답하자 소녀는 오른쪽을 보더니 피아노가 눈에 들어온 듯 그쪽을 향하기 시작했다. 그러고는 여러 대의 피아노를 쭉 보더니 건반을 하나씩 눌러보기 시작했다. 열 개 정도 눌러보더니 아차 싶었는지 나에게 물었다.

"이거 쳐봐도 되나요?"

물어볼 것도 없었다. 애초에 쳐보라고 내놓은 것이었으니까.

"물론이죠."

그러자 소녀는 백건 흑건 가리지 않고 88개의 건반을 아주 빠른 속도로 쳐 내려가기 시작했다. 피아노에 대해 잘은 모르지만, 악기점을 운영할 만큼의 피아노 지식을 알고 있던 나로서는 6초인가 7초인가 안에 피아노 개수인 88개의 건반을 다 치면 고수라고 알고 있었다. 하지만, 소녀는 5초 만에 손가락을 건반에서 떼어냈고 피아노 건반들의 소리는 완벽하게 울리고 있었다. 소녀는 또다시 다른 피아노로 옮겨가서 아까 했던 행동들을 반복했다. 우리 매장에 진열된 피아노의 개수는 총 네 개인데 그중 세 개를 5초대로 돌파했고 마지막 한 개만을 지쳤는지 6초 대로 쳐 내려갔다. 나는 그 모습ㅇ을 계속 지켜보다가 하늘에게 말했다.

"네가 볼 때 저 여자애 피아노 실력은 어느 정도야?"

하늘은 조금 고민하는 듯하더니 대답했다.

"온전한 실력은 연주를 봐야 알겠지만, 저 정도라면 아마"

하늘의 말이 다 나오기 전에 소녀는 세 번째 피아노에 앉아서 연주를 시작했다.

"라 캄파넬라…"

원곡은 악마의 바이올리니스트 파가니니의 바이올린 연주곡이다. 바이올린계에서도 어렵다고 소문난 곡을 리스트라는 피아니스트가 초절기교 연습 버전으로 편곡한 라 캄파넬라가 바로 저 소녀가 치고 있는 연주이다. 저 소녀의 연주를 본 하늘이 나에게 말했다.

"저 정도라면 제가 말을 잇지 않아도 아실 거라는 생각이 듭니다."

저 소녀는 고작 중학생 정도로밖에 안 보인다. 그런 소녀가 라 캄파넬라를 연주한다는 것은 상당히 이례적인 일이다. 소녀의 연주가 끝나자 내가 다가가서 말을 걸었다.

"엄청나게 잘 치는구나. 이거 연습하는 데 얼마나 걸렸어?"

소녀는 아무렇지 않게 대답했다.

"한 달이요."

나는 하늘을 바라봤다. 하늘도 나와 같은 표정이었다.

"한 달? 내 생각으로 라 캄파넬라를 한 달 만에 연습해서 완곡한 건 쉽지 않다는 생각이 드는데. 그 정도면 아무 콩쿠르나 나가도 일등 하는 거 아니야?"

"맞아요. 했어요. 일등."

나는 당황스럽다 못해 입을 제대로 열 수가 없었다. 그때 하늘이 내 옆으로 왔다.

"무척이나 대단하신 분이셨군요. 혹시 저희 매장엔 무슨 일로 찾아왔는지 여쭈어봐도 되겠습니까?"

소녀의 연주에도 빠져 본분을 다하지 못한 나를 대신해 하늘이 자기 역할을 꼼꼼히 수행하고 있었다. 나도 하늘에 맞춰 악기점 사장님으로 돌아와서 소녀에게 물었다.

""맞아. 여기 무슨 일로 찾아왔니?"

"그냥 피아노 치러 한 번 와봤어요."

이건 또 무슨 소리일까.

"당황스러운 대답이네. 혹시 왜 여기로 피아노를 치러 왔는지 물어봐도 될까?"

소녀는 다시 대답했다.

"학원에서 쫓겨났거든요. 잘하긴 잘하는데 하기 싫어하는 그 태도가 다른 아이들에게 영향이 갈 수 있으니, 오늘부터 나오지 말라고 학원 원장님이 엄마한테 말했어요. 집에 계속 있으면 엄마 잔소리 들을 게 뻔하니까 그냥 밖에 바람 쐬러 나왔는데 피아노가 보여서 치러 와본 거예요."

이 소녀는 무척 특이하다. 아니, 특이하지 않은 거일 수도 있다. 자기에게 재능이 있고 그 재능이 무엇과 관련된 것인지도 잘 알고 있다. 하지만, 그 재능을 활용하는 것을 싫어한다. 그런데 엄청나게 싫어하는 건 아닌 것 같다. 그러면 이 매장에 피아노를 치러 들어오지도 않았을 것이니까.

"피아노 치는 게 싫니? 이런 재능이 있는데 아저씨 같으면 엄청 재밌게 칠 것 같은데."

"그냥. 치다 보면 자연스레 치는 걸 싫어하는 것 같아요. 많은 시간을 피아노에 투자하는 게 너무 거북하다고 해야 할까. 저는 이런데 학원 원장님께서는 많이 연습하라고 하시잖아요. 기본 두 시간은 넘어가니까 제가 버티질 못하는 거죠."

소녀의 대답에 하늘이 물었다.

"그럼 피아노는 어떻게 시작하게 되셨나요?"

소녀가 피아노 의자를 꽉 쥐더니 말했다.

"아빠가 쳐 보라고 했어요. 자기는 건반을 누르는 그것만으로도 고수와 하수를 구별할 수 있다면서. 그래서 제가 아무거나 누르니까 아빠는 저보고 고수래요. 그렇게 시작하게 된 피아노인데 아빠가 갑자기 엄마랑 이혼했어요. 옛날부터 많이 싸우시긴 했는데, 싸울 때마다 다음 날 되면 아무렇지 않게 대화하곤 하셨어요. 그래서 이번에도 그냥 넘어가겠거니 했는데 갑자기 이혼 이야기가 나오는 거예요. 저도 말리려고 했는데 화가 단단히 나셨는지 결국 이혼하게 됐어요. 그런데 아빠가 저를 자기랑 같이 데리고 가고 싶었는지 너무 노골적으로 저 앞에서 엄마를 욕하는 거예요. 엄마는 저보고 그냥 화해하고 같이 사는 게 더 행복할 것 같다고 화해하려 생각하고 있는데 아빠가 대 놓고 엄마 욕을 하니까 저는 그냥 엄마를 설득해서 이혼하고 엄마 따라갔죠."

상당히 비극적이다. 소녀는 말을 이어갔다.

"집을 나올 때 피아노를 가져가야 하나 고민 많이 했어요. 피아노를 가져가면 아빠가 나를 따로 불러서 뭐라 하지 않을까? 라는 생각하면서 고민 많이 했는데 집에 책도 많이 없고 놀 것도 없고 공부도 좋아하는 건 아니라서 그냥 가져왔어요. 다행히 아빠가 절 따로 부르시진 않았는데 피아노 칠 때마다 거북한 느낌이 드는 건 적응 할 수가 없어요. 아빠 때문에 피아노를 시작한 거니까…"

소녀의 이야기를 하늘이 듣더니 소녀에게 말했다.

"저는 시작하게 된 동기만 물었는데 갑자기 다른 이야기들이 쏟아졌네요."

소녀는 그제야 자기가 무슨 말을 했는지 깨달은 것 같았다. 그러고선 살짝 부끄러운지 고개를 돌렸다. 하지만, 하늘은 눈치 없이 말을 꺼냈다.

"괜찮습니다. 자기가 깨닫지 못할 만큼 말한다는 건 그만큼 그 말들을 누군가에게 하고 싶었다는 것과 같으니까요. 이참에 다 털어놓았다고 생각하시면 좋을 것 같습니다."

그때 하늘의 표정이 달라졌다. 마치 온화하게 괜찮다고 말하는 엄마 미소 같이 인자한 미소를 짓고 있었다. 이럴 때 보면 정말 신기하다. 인공지능 로봇이 자기 스스로 표정을 지을 수 있다는 것에. 뭐 내가 만든 로봇이긴 하지만. 그때 소녀는 고개를 숙이고서 하늘의 손을 잡았다. 소녀도 하늘의 온기를 느끼고 있을 것이 틀림없었다. 그리고 하늘의 강철같이 단단한 피부도 느끼고 있을 것이었다. 하지만, 소녀는 그런 건 상관없다는 듯이 말했다.

"피아노를 계속하고 싶은데 그 느낌이 사라지지 않아요."

소녀가 말하는 도중 하늘의 안색이 안 좋아졌다. 그러자 걱정이 돼서 물어봤다.

"하늘, 왜 그래? 어디 불편해?"

로봇이 걱정되어서 하는 말이 맞는지도 모르겠다.

"아닙니다. 그저 제가 손님의 기분을 상하게 해 드린 것은 아닌지…."

이럴 때는 참 한결 같은 로봇 같다.

"이건 너한테 기대고 싶다는 뜻이야."

소녀는 고개를 숙이며 계속해서 손을 잡고 있었고 나는 그 광경을 바라보고 있었다. 머쓱해진 나는 좋은 생각이 떠올라서 바이올린 진열대로 걸어갔다. 내 발소리를 들은 소녀가 이제야 깨달은 듯 말했다.

"언니. 로봇이에요?"

"네, 그렇습니다. 저는 저기 보이시는 사장님의 인공지능 로봇 도우미 하늘입니다. 손님들께서 불편함을 느끼시지 않도록 g는 것이 제가 존재하는 이유이기도 합니다."

그때 내가 바이올린을 들고 다시 하늘과 소녀에게 돌아왔다.

"하늘아. 이걸로 라 캄파넬라 연주 해 줄 수 있어?"

하늘은 망설이지도 않고 바이올린을 잡으며 말했다.

"물론입니다."

하늘이 바이올린으로 라 캄파넬라를 연주하기 시작했다. 소녀는 그 모습에 빠져든 것인지 눈을 떼지 못하고 있었다. 그때 내가 소녀에게 말했다.

"하늘이랑 맞춰서 연주해 볼래?"

"저 언니 이름이 하늘이에요?"

"맞아."

"모든 걸 다 품고 살라는 의미에서 하늘이라고 지었어."

"저는 이름만 물어봤는데 아저씨도 다른 이야기 하시네요. 아무튼 연주할 수 있어요."

대답이 끝남과 동시에 소녀는 하늘과 맞춰서 연주를 시작했다.

♫♫♫

소녀의 표정에서 행복이 느껴졌다. 이제야 소녀는 자기 자리를 찾은 것 같았다. 어디를 가야 할지 방황하던 소녀에게 하늘이 한 명의 길잡이가 돼 주었다. 오늘도 하늘은 한 걸음 더 걸어나갔다.

"감사합니다. 언니 그리고 아저씨. 드디어 그 기분을 없앨 수 있는 방법을 찾은 것 같아요. 다음에 올 때는 세계적인 피아니스트가 돼서 피아노 한 대 사러 올게요. 안녕히 계세요."

짤랑

방울이 울리고 소녀가 나갔다. 소녀가 나가자, 비는 그쳐 있었고 하늘은 소녀를 계속 지켜보며 말했다.

"손님께서 행복하셨으면 좋겠습니다."

"나도 그렇게 생각해. 아, 우산 놓고 갔네. 하늘아, 이 우산을 저 애한테 가져다줄래?"

"알겠습니다.

3화

짤랑

　문을 열고 들어가니 바로 보이는 계산대가 내 눈에 들어왔다.
이 가게에 들어오는 손님들은 항상 이 시점을 제일 먼저 쳐다
보게 되는데 바로 앞에 계산대와 사람이 서 있으면 부담이 될
것 같다. 언젠가 한 번 위치를 조정해야겠다는 생각을 머릿속
에 남겨두고서 계산대 뒤쪽에 있는 평범한 인공지능이지만, 한
가지 다른 점이 있다면 감정을 배울 수 있다는 점이다.
ChatGPT는 감정을 표현할 수 없다. 내가 ChatGPT의 감정을
표현시키는 방법을 모르는 것일 수도 있지만, 한 시간 동안
ChatGPT의 감정을 표현시키려고 한 결과 감정을 치수로 변환
해서 인식시키는 방법밖에 통하지 않았다. 예를 들어 내가 행
복하다고 말하면 ChatGPT는 행복이라는 단어의 치수를 높여
서 상대방의 감정을 인식하고 반응할 것이다. 하지만, 이 세상
에 행복한 걸 행복하다고 말하면 ChatGPT는 행복이라는 단어
의 치수를 높여서 상대방의 감정을 인식하고 반응할 것이다.

하지만, 이 세상에 행복한 걸 행복하다고 말하는 사람은 별로 없을 것이다. 슬픔이나 분노도 마찬가지이다. 아무튼 하늘은 감정을 감정 그대로 받아들이고 반응을 취하거나 혹은 감정을 직접 표현할 수도 있다. 그렇지만, 하늘은 아직 그 능력을 제대로 쓸 줄 모른다. 나는 자연스럽게 하늘이 손님들과 대화하면서 그 능력을 써주기를 바란다.

하늘의 전원을 켜고 충전기가 달린 의자에 앉히니 하늘의 눈이 떠졌다. 추가로 말하자면 하늘은 인간과 거의 유사한 인공지능이다. 만져보지 않는 이상 인공지능이라고 생각도 못 할 정도로.

"안녕하십니까. 선생님. 좋은 아침입니다."

하늘의 인사는 늘 새롭다. 언제는 '날이 좋네요.' 라던가 '오늘은 손님이 많을 것 같습니다.'와 같은 다양한 인사를 해준다. 나는 이런 점에서 하늘의 능력이 잘 작동한다고 믿고 있다.

"좋은 아침. 아, 더 앉아있어도 돼. 오픈 시간 아직 멀었어."

하늘이 일어나려 하자 내가 하늘을 말렸다. 요새 하늘이 가게 청소를 다 하는 것 같아서 오늘은 내가 하리라 다짐하고 집에서 나왔기 때문에 하늘을 다시 앉혔다.

"오늘은 내가 청소하려고. 이때까지 네가 했잖아. 몇 번은 내가 해야지."

내 스스로가 뿌듯해지는 말이었다.

"알겠습니다. 그럼 저는 여기 계속 앉아있겠습니다. 만약 필요하신 게 있으시면 불러주십시오."

나는 빗자루를 꺼내와 바닥을 쓸었다. 바닥을 쓰는 동안 내가 전시해 둔 여러 악기가 눈에 들어왔다. 피아노부터 해서 바이올린, 비올라, 플루트, 첼로, 트럼펫, 하모니카, 기타, 리코더 등등 '정말 많이도 전시해 뒀다.'라는 기분이 들었다. 처음에는 단순하게 소소한 가게를 차리려고 했다. 피아노나 바이올린 그리고 기타만 전문적으로 다루는 그런 전문점 비슷하게 차리려고 했는데 그렇게 되면 손님들이 너무 안 올 것 같아서 그냥 많은 악기를 다루기로 했다. (베이스도 있다) 바닥을 다 쓸고 물걸레질하려 하자 하늘이 일어나서 말을 걸었다.

"물걸레는 제가 하겠습니다. 이제 선생님이 쉬십시오."

"아 이것도 내가 할게 그 대신 저기 창고 가서 베이스 여기에 없는 거 하나만 꺼내와 줘. 베이스 하나 정도는 더 둬도 될 것 같네."

"네 알겠습니다."

하늘은 대답하는 순간 창고로 향했다. 나는 빗자루질을 하면서 살짝 귀찮아지려 했지만, 다짐했으면 끝까지 하는 게 맞다고 생각해서 하늘에게 내 일을 미루지 않았다. 물걸레로 바닥을 깨끗하게 하니까 내 마음도 깨끗해진 기분이다. 그때 하늘이 베이스를 들고 내 앞에 서있었다.

"여기 부탁하신 베이스입니다."

"어어. 고마워."

"근데 이 베이스 줄이 여섯 줄입니다. 베이스 네 개 아닙니까?"

하늘이 호기심 많은 말투로 나에게 물었다. 베이스는 보통 네 줄이지만, 다섯 줄, 여섯 줄 짜리 다현 베이스도 존재한다.

"베이스는 원래 네 줄인데, 다섯 줄, 여섯 줄짜리는 다현 베이스라고 하기도 해."

하늘은 완벽한 인공지능이 아니다. 감정에 관한 능력을 넣은 대신에 정보 검색에 대한 능력을 조금밖에 넣지 못했다. 그래서 하늘이 알고 있는 정보에는 한계가 있었고 다현 베이스가 그런 경우이다. 하지만, 배울 수 있는 능력도 있었기에 하늘은 이 정보를 머릿속에 담았을 것이다.

짤랑

그때 방울이 울리고 손님이 손님의 옷차람은 회색 후드티를 뒤집어쓰고 반바지에 슬리퍼를 신은 차림이었는데 머리는 안 감은 듯 보였다.

"어서 오세요"

"어서 오세요."

손님은 나와 하늘의 눈 마주치지 않은 채 고개만 까딱 숙이더니 베이스 쪽으로 발걸음을 옮겼다. 아마 베이스를 사러 온 모양인 것 같았다. 손님은 베이스를 다양하게 훑어보더니 네줄짜리 화려한 베이스에 눈을 고정했다. 높은음자리표와 낮은음자리표 그리고 여러 음표가 그려져 있는 베이스였는데 딱 봐도 '나 음악 하는 사람이에요.'라는 걸 강조하는 베이스였다. 이 번에도 내가 먼저 다가가서 말을 건넸다.

"안녕하세요?"

내가 인사하자 손님은 당황한 듯 말을 더듬더니 나에게 인사해 주었다.

"아…. 안녕하세요…."

인사하는 손님의 피부가 무척 깔끔해 유난히 눈에 띄었다. 피부 관리는 깔끔하게 하는 것으로 보였다.

"베이스 보러 오셨어요?"

"아…. 네."

"어떤 용도로 쓰시나요? 녹음용으로 쓰실 거면 마이크와 합이 좋은 베이스를 추천해 드리고 공연용으로 쓰실 거면 스피커와 합이 좋은 베이스를 추천해 드릴게요."

내가 적극적으로 질문하자 손님은 말을 한동안 하지 않더니 아까 보았던 음표들이 그려진 베이스를 가리키며 말했다.

"저, 이거… 하고 싶은데…요."

"이 베이스 같은 경우는 공연용으로 많이 쓰시는 베이스에요. 겉으로도 화려하고 스피커랑 궁합이 좋아서 공연용으로 수용하시는 분들이 많이 사가세요."

내가 설명하자 손님이 우물쭈물하며 말했다.

"아…. 저는 녹음용으로 사고 싶은데…."

손님의 말에 나는 녹음용 베이스를 몇 개 추천했다.

"녹음용으로 쓰시는 거면 이거 아니면 이거 추천해 드려요. 한 번 쳐보시겠어요?"

"아⋯. 네."

나는 베이스를 노트북과 연결했고 손님에게 시작해라는 제스처를 취했다. 손님이 베이스를 치기 시작하는데 손가락이 화려하게 움직이는 모습이 보였다. 슬랩을 비롯한 여러 기술도 구사했는데 마치 중급자 아니면 상급자 또는 그 이상의 연주자로 보였다. 손님의 엄청난 연주에 나와 하늘 모두 넋을 놓으며 바라보았다. 예전에 왔던 피아노 소녀와 똑 같은 반응이었다. 손님의 연주가 끝나자, 나는 손뼉을 쳤고 하늘도 옆에서 손뼉을 쳤다. 손님은 쑥스러워하며 베이스를 내려놓았고 나는 녹음된 베이스 소리를 틀었다. 손님은 본인의 연주를 들으며 부끄러워했는데 얼굴은 만족한 표정이었다.

"베이스 정말 잘 치시네요. 이 정도면 공연해도 될 정도인데 공연은 따로 하지 않으시나요?"

"아, 공연은 좀⋯. 제가 남들 앞에 서는 걸 잘 못해서요."

손님의 답에 나는 인정할 수밖에 없었다. 이렇게 잘 치는 사람이라도 많은 사람 앞에 서면 실수하기 마련이다. 본래의 실력이 나오지 않고 실수가 많은 실력이 나오는 게 당연하다. 하지만, 이 점은 경험을 쌓으면 해결되기도 한다.

"아, 아쉽네요. 이렇게 잘 치시는 분이…"

"그리고 베이스는 공연장에서 치면 다른 악기에 묻혀서 들리지도 않아요…. 솔로로 치지 않는 이상…."

"그럼 솔로로 하시는 건 어떠신가요?"

나와 손님의 대화가 끝날 무렵 하늘이 끼어들었다. 하늘의 말에 나도 당황했고 손님도 당황했다.

"솔로로 하시면 본인의 실력을 마음껏 뽐낼 수 있을 거라고 생각합니다."

"하늘아… 앞에 손님께서 남들 앞에 서시는 거 잘 못하신다고 하셨잖아…."

내가 하늘에게 지적하자 하늘이 응수했다.

"경험을 쌓다 보면 달라질 수 있을 거라 생각합니다. 손님은 어떠신가요?"

하늘의 갑작스러운 질문에 손님은 말을 잇지 못했지만, 생각하는 것 같더니 대답했다.

"솔직히… 한 번쯤은 나가보고 싶다고 생각했었어요. 집에서만 녹음하니까 뭔가 점점 재미도 없어지고 흥미도 떨어져서…."

손님의 생각과는 다른 말에 나는 한 아이디어가 떠올랐다. 남들 앞에 서는 걸 싫어하는 게 아닌 못하는 사람들을 위한 방법이라고 생각하는 아이디어이다.

"손님, 혹시…."

구름 한 점 없는 화창한 하늘에 바람이 선선하게 부는 날, 나는 지금 가게 근처 공원에 와 있다. 그리고 내 옆에는 하늘이 바이올린을 조율하고 있었다. 하늘의 조율이 끝나자, 저 멀리서 손님이 베이스를 매고 뛰어오고 있었다. 우리 앞에 도착하자 숨을 헉헉대며 말했다.

"안 늦었죠?"

손님의 말이 끝나자 베이스 선을 앰프에 꽂고 있었다. 손을 떠는 채로 말이다. 손뿐만이 아니라 몸 전체가 떨리는 것 같기도 했다. 손님이 준비를 다 하자 나는 하늘에게 말했다.

"하늘아. 오늘 주인공은 저 손님이야. 네가 저 손님에게 최대한 맞춰주고 알겠지?"

"네. 알겠습니다. 최선을 다하겠습니다."

하늘에게 할 말을 다 한 뒤 손님에게 다가가서 말했다.

"떨리세요?"

"네…."

"연주하다 보면 안 떨려요. 파이팅."

나는 이 말을 끝으로 그 자리에서 벗어났다. 내 말이 끝나자
손님이 얕게 웃은 것을 보았다. 긴장을 풀어주려고 한 말이었
는데 다행히 잘 먹혀든 것 같았다. 나는 연주 소리가 최소한으
로 들릴 만큼만 멀어졌고 내가 다시 그쪽을 보자 하늘이 먼저
바이올린 연주를 시작했다.

캐논 변주곡

'사람들이 잘 아는 노래로 이목을 집중시킨다.' 이게 우리의
전략이다. 하늘의 바이올린 연주로 사람들을 모은 후에 손님의
베이스 연주를 사람들에게 들려준다. 원래는 처음부터 베이스
를 중심으로 공연을 진행하려 했다. 하지만, 손님의 격렬한 반
대와 하늘의 적극적인 의견 때문에 바이올린을 베이스 앞에 낳

다. 하늘이 캐논 변주곡을 연주하자 사람들이 점점 모여들었다. 사람들은 하늘의 연주를 보며 감탄했다. 사람들 눈에는 실제 사람이 연주하는 것처럼 보일 것이니까 어디서 이런 천재가 나왔나 싶을 것이다. 하늘의 연주가 높은 음에서 놀아다닐 때쯤 손님의 베이스 소리가 웅장하게 들렸다. 이젠 베이스의 차례다. 바이올린의 높은음에서 베이스의 낮은음으로 갑자기 전환한다. 그 반대인 낮은음에서 높은음으로 가는 것 외에 이것만큼 소름 돋게 할 수 있는 연주 전략은 많이 존재하지 않는다. 손님의 베이스 연주에 사람들이 더 몰려들었다. 갑자기 훅 들어온 저음에 사람들은 닭살이 돋았을 것이다. 왜냐하면 나도 닭살이 돋았기 때문이다. 그만큼 저 손님의 베이스 연주에는 인간의 감정과 마음이 담겨 있었고, 최선을 다해 연주하는 손님의 노력이 담겨있기도 했다. 손님의 옆에서 하늘이 스스로 베이스의 공백을 채우고 있었다. 하지만, 가면 갈수록 베이스의 연주의 대부분을 차지했고, 마지막에 하늘은 바이올린에서 손을 떼고 있었다. 하늘은 자연스럽게 빠져나와 나에게 오더니 말했다.

"오늘부로 저 손님의 일 호 팬 하겠습니다."

"그래? 그럼 내가 이 호 팬 해야겠네."

베이스 소리가 점점 줄어들자 사람들은 손뼉을 쳤고 손님은 바로 다음 곡을 연주했다. 화려한 슬랩과 더불어 베이스만의 박자 위를 걷는 리듬에 사람들은 각자에 신체를 이용에 박자를 타고 있었다. 마치 베이스가 사람들을 지휘하듯 연주하고 있었고 손님도 마음에 들었는지 모자를 벗으며 마지막 곡을 연주하기 시작했다.

Moonlight

빠른 손이 요구되는 곡이다. 기본기가 탄탄해야 잘 칠 수 있는 곡인데 곡이다. 기본기가 탄탄해야 잘 칠 수 있는 곡인데 손님은 걱정할 것도 없이 깔끔하게 연주해 나갔다. 그때 연주 소리가 멈추었다. 손님 쪽을 자세히 쳐다보니 실수를 한 모양이었다. 실수한 나머지 손님은 당황해서 연주를 멈춘 것 같았다. 사람들 dv에서 공연을 많이 해보지 않은 사람들에게 자주 있는 일인데 특히나 곡 특성상 계속해서 연주를 이어 나가야 하는 곡인 만큼 분위기도 그만큼 깨질 수도 있는 상황이었다. 손님이 다시 모자를 푹 쓰려고 할 때 사람들이 손님을 북돋아 주었다.

"괜찮아! 괜찮아! 괜찮아!"

어느샌가 모여든 사람들이 손님에게 조명을 비춰주고 있었고 손님은 그 조명에 맞춰서 모자를 다시 내려놓았다. 그러고는 아까보다 더 빠르게 곡을 연주하기 시작했다. 사람들은 다시 살아난 연주, 그보다 더 상승된 연주에 함성을 아끼지 않았고 연주가 끝나자, 손님에게 박수갈채가 흠뻑 흩뿌려졌다. 손님의 연주를 마음에 들어 한 사람들이 돈을 넣어준 것이었다. 손님은 사람들에게 머리를 숙였고 빠르게 정리해서 내 쪽으로 뛰어왔다. 그러고는 활짝 핀 웃음과 함께 나에게 말했다.

"이거 주세요."

"손님. 가게 근처 공원에서 거리공연을 해보시는 건 어떠신가요? 거리공연을 하시면 제가 이 베이스 무료로 드릴게요."

손님이 눈을 고정시킨 베이스를 가리키며 말했다.

"정말이요?"

손님이 재차 확인하며 물었다.

"정말이죠. 혼자 하기 부담스러우시면 이 친구랑 같이 해보세요. 바이올린을 무척 잘하거든요."

하늘이 옆에서 미소를 지으며 말했다.

"제가 도와드리겠습니다. 손님께서 공연하시는 걸 한번 들어보고 싶습니다."

손남이 잠깐 고민하더니 우리에게 말했다.

"좋아요."

4화

가게 문 앞으로 초등학생들이 지나간다. 각자 친구들과 떠들며 지나가는 아이들도 있고 한 손에 스마트폰을 쥐고 지나가는 학생들, 맛있는 젤리나 아이스크림을 들고 지나가는 아이들도 있다. 지금 저 아이들의 도착지는 학원이겠지만, 내가 초등학교를 다닐 때면 놀이터였을 것이다. 놀이터에서 아무 생각 없이 뛰어 놀다가 밥 먹을 때가 되면 친구들과 '잘 가.'라는 인사를 하고 각자의 집으로 돌아간다. 등교할 때면 문구점에서 서로 만나 '안녕.'이라는 인사를 하고 준비물을 사 간다. 부모님이 준비물을 사라고 주신 돈으로 다른 불량식품이나 장난감을 사는 아이들이 있기도 했다. 그런 아이들은 수업 시간에 다른 아이들의 준비물을 빌려 쓰거나 했다. 그때는 아무 생각 없이 빌려주었지만, 지금 와서 생각해 보면 참 화나는 일이다. 요새는 문구점도 많이 없어지고 초등학생들도 많이 줄어들어서 옛날의 감성은 구현되기 쉽지 않을 것이다. 하늘은 옆에서 여러 종류의 리코더를 다시 배치하고 있다. 리코더도 종류가 다양한데 우리가 잘 아는 리코더인 소프라노 리코더, 그보다 더 깊은 음을 내는 리코더인 알토 리코더, 엄청나게 큰 리코더인 슈퍼 콘트라베이스 리코더 등등 종류가 엄청 많다. 초등학생들은 보통 소프라노 리코더를 많이 사용하고 중학생이나 고등학생 중 음악을 하는 학생들은 그 이외의 것들도 많이 사용한다.

짤랑

"어서 오세요."

"어서 오세요."

가게 문을 열고 초등학생으로 보이는 아이가 들어왔다. 한 손에는 만 원을 꽉 쥐고 다른 한 손으로는 문을 밀며 들어왔다. 초등학교 4에서 5학년 정도로 보이는 키에 등에는 귀여운 책가방을 메고 있었다.

"안녕하세요~"

초등학생 특유의 늘어진 인사와 함께 내 앞으로 오더니 만 원을 계산대 위로 올리며 말했다.

"리코더 한 개 주세요."

"리코더는 저기 저쪽 보면 있는데 우리 친구가 직접 골라볼

래?"

내가 손가락으로 리코더가 진열된 곳을 가리키며 말했다. 아이는 그곳으로 쫄래쫄래 걸어가더니 리코더들을 눈으로 싹 훑어보기 시작했다. 저 아이가 많이 봤을 소프라노 리코더는 그저 그런 듯 넘기더니 알토 리코더나 콘트라베이스 리코더에서 눈길이 멈췄다. 마치 신기한 물건을 본 듯한 눈을 하더니 리코더를 만지기 시작했다. 나는 아이에게 다가가 말했다.

"이거 사려고?"

"아니요. 저 이거 사려고 하는데 이 리코더는 신기해서요."

아이가 알토 리코더를 가리키며 말했다.

"이 리코더 엄청 크지? 우리 친구가 사려는 리코더보다 소리가 훨씬 잘 나는 리코더야."

"엄청 신기하네요. 그럼 이건 뭐라고 해요? 아까 아저씨가 말해준 거보다 훨씬 커요."

아이가 호기심을 가지며 물었다.

"이건 콘트라베이스 리코더라고 하는데 입을 리코더의 맨 위가 아니라 여기 보이지? 여기에 대고 부는 거야."

내가 차근차근 설명해 주자, 아이는 흥미로운지 다른 악기에 대해서도 물어보기 시작했다. 내가 아이의 질문에 계속 대답해 주고 힘들어하자, 하늘이 이 상황을 중재했다.

"손님, 리코더 사러 오신 것 아니셨습니까?"

하늘이 아이에게 말하자 아이의 눈길은 하늘에게 향했다. 아이는 또 다른 흥미로운 것을 본 듯 반짝이는 눈으로 하늘에게 다가갔다. 그러고는 하늘의 손을 잡더니 놀라며 말했다.

"누나 로봇이에요?"

아이의 질문에 하늘이 침착하게 대답해 주었다.

"네, 저는 로봇입니다. 정확히는 선생님들 도와드리기 위해 제작된 인공지능 로봇이죠."

"아, 그러면 저 누나를 아저씨가 만든 거예요?"

"맞아, 내가 만들었어."

"우와."

아이가 나를 신기하게 바라보았다. 마치 내가 뭐든 들어주는 도라에몽이라고 생각하는 것처럼 보였다. 그런데 저 나이대의 아이들은 저런 생각을 하는 게 정상이기에 나는 그냥 받아들이기로 했다. 그러자 아이가 나에게 말했다.

"아저씨 그럼 저랑 똑같이 생긴 로봇도 만들어 주면 안돼요?

아이의 갑작스러운 질문에 나는 당황했다. 아이의 순수한 질문이 나의 말문을 막히게 했다. 그래도 일단 정신을 차리고 단호하게 대답하기로 했다.

"그건 좀 힘들 것 같아. 저 누나도 하루 만에 뚝딱하고 나온 게 아니라 몇 년은 걸려서 만들어졌거든."

내가 단호하게 대답하자 아이의 얼굴이 실망한 표정으로 변했다.

"아⋯. 그래요?"

아이의 실망한 얼굴에 나는 왜 만들어 달라는 지 이유라도 들어보고 싶어서 아이에게 물었다.

"그런데 우리 친구는 왜 똑같이 생긴 로봇을 가지고 싶어 하는 걸까?"

내가 묻자 아이가 말했다.

"이번에 우리 학교에서 마니또를 하는데 제 마니또가 저랑 싸운 친구거든요…. 저랑 싸운 친구를 몰래 도와줘야 한다고 생각하니 너무 불편해요."

"왜 싸웠는지 말해줄 수 있을까?"

"아…. 제가 오늘 그 친구랑 리코더 발표를 하기로 했는데 아침에 리코더를 챙기려고 보니까 리코더가 없어져서 학교에 리코더를 못 들고 갔어요. 제가 리코더 못 들고 왔다고 그 친구한테 말하니까 그 친구가 선생님한테 일렀어요. 저는 못 들고 왔다고 말하고 다른 친구들한테 빌리려고 했는데 그 친구가 갑자기 선생님한테 말 하니까 화가 나서 그 친구랑 발표할 때 일부러 손가락을 틀리게 짚었어요. 끝나고 나서 그 친구도 제가 틀린 걸 알았는지 저한테 엄청 화냈어요. 저는 "네가 선생님한테 이르지만 않았어도 이러지는 않았어." 라고 말하니까 그 친구가 저보고 친구 하지 말자고 했어요. 저는 그 친구랑 친구를 그만두기 싫어서 사과하려고 했는데 갑자기 제 입에서 친구랑 똑같은 말이 나왔어요. 그래서 어쩔 수 없이 절교했어요. 그런데 이번 마니또에서 그 친구가 걸려서 이번에 사과하려고 했는데 제가 직접하기에는 너무 부끄러워요. 그래서 저랑 똑같이 생긴 로봇이 저 대신 사과해 주고 다시 친하게 만들어주면 좋겠어요.

아이의 말에 나는 단호하게 대답하려 했다. 아니, 말하려 했다. 그때 하늘이 먼저 나서서 말했다.

"그 사건에 대해서는 손님께서 잘못하신 것으로 보입니다. 물론 그 친구분도 갑자기 손님의 말을 듣지 않고 선생님께 이른 것은 잘못이라고 생각하나 대부분 손님의 잘못이라는 생각이 듭니다."

하늘의 단호한 답변에 아이가 고개를 푹 숙이더니 눈물을 흘리기 시작했다. 이것마저도 저 나이대의 아이들에게는 흔한 일이다. 자기 마음대로 안되면 일단 울어버린다거나 떼를 쓴다. 사람들은 저 행동을 어린아이들의 성숙하지 못한 면이라고 생각할 것이다. 하지만, 나는 저 행동이 아이들의 성장을 위한 계단이라고 생각한다. 아이들이 저 계단을 밟고 올라가는 것, 그러니까 자기 잘못을 인정하고 어른으로서 한 걸음 성장하는 것이 그들의 매력이라고 생각한다. 악기들도 마찬가지다. 악기는 혼자 연주하면 재미가 없다. 각기 다른 악기들의 호흡을 맞추는 것으로부터 악기가 가지고 있는 음악의 진정한 모습이 나올 수 있다. 연주 중에 한 악기가 틀린 소리를 내어도 다른 악기들이 저만의 소리로 그 악기의 틀린 소리를 덮어준다. 그리고 그 안에서 틀린 소리를 낸 악기는 올바른 소리를 내는 악기로 바뀌어 다시 모습을 드러낸다.

나는 이 점이 악기와 어린아이들의 공통점이라고 생각한다. 아이들의 어린 시절 동안 어른들이 그 아이들을 도와주고 보살피며 올바른 아이로 성장할 수 있게 도와준다. 아이가 충분히 성장했으면, 올바른 아이에서 올바른 어른으로 바뀌어 사회에 나가게 된다. 그리고 올바른 어른이 다시 어린아이들을 덮어준다. 나는 이 점에서 인간의 미를 느낀다. 아이들과 어른들의 상호작용, 악기와 악기 간의 상호작용에서.

"여기 휴지입니다. 이걸로 눈물을 닦으십시오."

하늘이 휴지를 건네며 말했다.

"감사합니다…:"

"사과하시는 게 쉽지 않은 거 잘 압니다. 저도 선생님께 피해를 주는 행동을 할 때면 매번 사과하는데, 할 때마다 마음이 불편하면서 선생님께 죄송스럽습니다. 하지만, 사과를 드리고 나면 선생님께서는 매번 괜찮다면서 저를 다독여 주십니다."

아이가 하늘의 손을 잡으며 말했다. 고개는 여전히 숙여져 있었다.

"로봇도 실수해요?"

하늘이 다정히 웃으며 말했다.

"당연합니다. 이 세상에 완벽한 존재는 없으니까요. 그리고 사과를 싫어하는 사람도 없습니다. 겉으로는 싫어할 수 있지만, 속으로는 사과해 주어서 고마울 것입니다. 또한 남에게 하는 사람과는 나 자신응ㄹ 성장시키는 요소로 작용하기도 합니다."

"요소가 뭐에요?"

"재료 같은 겁니다."

아이가 눈물을 다 닦고 난 휴지를 주머니에 넣으며 고개를 들었다. 눈과 코가 살짝 붉어지긴 했지만 아이의 표정은 무언갈 다짐한 표정이었다.

"그러면 어떻게 사과하는 게 좋을까요?"

"자, 오늘은 마니또가 끝나는 날이에요. 각자의 마니또를 알 수 있게 한 명씩 나와서 자기 마니또가 누구인지 말해볼까요?"

선생님의 말씀에 학생들이 한 명씩 차례로 나와서 자기 마니또의 정체를 밝혔다. 아이는 긴장되기 시작했다. 주머니 속에 들어있는 간식을 괜히 만지작거리며 자신의 차례를 기다렸다. 그때 그 친구가 나와서 자기 마니또를 발표했다.

"제 마니또는 호영입니다."

호영이는 깜짝 놀랐다. 왜냐하면 그 친구의 입에서 자신의 이름이 들렸기 때문이다. 선생님이 그 친구보고 마니또에게 무엇을 도와주었냐고 하니까 몰래 책상을 닦았고 책상 바닥을 쓸었고 마지막으로 선물을 준비했다고 했다. 선생님이 정말 잘했다고 칭찬했고 선물은 나중에 따로 주라고 말씀하셨다. 그 뒤로 호영이의 차례가 오자 아이는 긴장이 풀렸는지 큰 목소리로 말했다.

"제 마니또는 현서입니다."

호영이가 자기의 마니또를 발표하자 현서도 깜짝 놀랐다. 현서도 자기 이름이 나올 줄 예상하지 못한 것 같았다. 선생님이 똑 같은 질문을 하자 호영이도 그 친구의 책상을 청소하고 바닥을 쓸고 선물을 준비했다고 했다. 선생님은 잘됐다면서 서로 선물을 주고받으면 되겠다고 말하고 호영이를 자리로 돌려보냈다. 그리고 쉬는 시간 호영이와 현서는 서로를 마주 보고 있었다. 각자가 각자에게 줄 선물을 손에 꼭 쥐고서 누가 먼저 말을 꺼내야 할지 망설이고 있었다. 그때 호영이가 먼저 말을 꺼냈다.

"미안해…."

현서는 깜짝 놀랐다. 그러고는 말했다.

"나도 미안해…."

현서가 사과하자 이번에는 호영이가 놀랐다. 서로서로 사과에 놀라자 둘 다 빵 터지며 웃었다. 그러고는 선물을 건넸다. 호영이는 젤리를 현서는 과자를 준비했다. 서로가 선물을 건네주자 호영이가 말했다.

"나랑 리코더 한 번만 더 같이 해주라."

현서는 고민도 하지 않고 대답했다.

"그래."

둘은 사이좋게 음악실로 향했다.

"그 아이, 잘 해결됐을까?"

내가 고민에 빠진 얼굴로 하늘에게 물었다. 하늘은 한 치의 망설임도 없이 대답했다.

"저는 당연히 해결됐을 거라고 생각합니다. 그 아이는 착한 아이입니다."

"그런가?"

나는 이에 관한 생각을 멈추고 가게를 청소했다. 그때 한 남자가 걸어 들어왔다. 나는 그 남자를 보자마자 하늘에게 창고에 들어가 있으라는 손짓을 했다. 하늘은 그 손짓을 알아채고는 창고로 들어간 뒤 문을 닫았다.

"오래만입니다 박사님."

그의 능청스러운 인사에 나는 별로 받아주기 싫었다. 나는 애써 무시하려 했지만, 그가 나에게 가까이 다가와서는 말했다.

"잘 지내시죠?"

나는 그를 째려보며 말했다.

"왜 온 거야."

내가 말하자 그가 다시 한번 능청스럽게 대답한다.

"왜 오긴요. 그냥 박사님이 어떻게 사시나 궁금해서 한 번 찾아왔죠. 그런데 이런 악기점이나 하고 계실줄은 몰랐습니다."

그가 내 귀에 대고 말한다.

"범죄자 박사님."

5화

    그는 나의 직장 동료이다. 아니, 직장동료였다. 함께 하늘을 비롯한 인공지능 로봇을 개발한 나의 둘도 없는 동료였다. 일하는 방면에서 마음이 맞던 우리는 직장 안에서 가장 친하게 지냈고 내가 회사를 나올 때까지도 우리는 가장 아끼는 동료 사이로 남아 있었다. 하지만, 그런 그는 돈 앞에 굴복했고 권력 앞에 엎드렸다.

"따분해."

이 문장이 오늘 나의 첫마디였다. 하루하루가 점점 질리기 시작했고 내가 가지고 있는 직업에 대한 싫증도 나기 시작했다. 대학교 강의실에 들어가서 수업하는 순간 내 수업을 듣는 학생들은 잠을 잔다. 여기가 안방이라도 된 듯 정말 편안하게 자는데 그만큼 교수로서 화나는게 없다. 나는 지극정성으로 수업 자료를 준비하고 학생들에게 얼마나 가치 있는 정보를 전달할까 고민하는데 학생들은 나의 이런 정성을 무시하고 잠을 잔다. 언제는 한 번 학생들 대부분이 잠에 들었을 때가 있었는데 그때는 그냥 깨어있는 학생들에게 오늘은 쉬겠다고 말을 전달한 뒤 나도 의자에 앉아서 잠깐 졸았다. 깨어있는 학생들도 별로 불만은 없었는지 다른 학생들과 같이 잠을 자거나 휴대전화를 보았다. 아무튼 나는 이런 삶이 별로 좋지는 않았고 내 전문 분야로는 더 이상 재미를 느낄 수 없다고 생각해서 다른 직업을 찾아보려고 했었다. 그때 내 컴퓨터에 하나의 메일이 도착했다. 그 메일은 대량의 도우미 인공지능을 만들지 않겠냐는 제안이었다. 나는 흥미로운 기분으로 메일을 더 읽어보았는데 조건이 있었다. 첫 번째는 기숙사 형태로 출퇴근해야 하고 두 번째는 이곳에서 일어나는 일들은 절대 외부에 발설해서는 안된다는 조건이었다 나는 살짝 위험한 낌새가 느껴졌지만, 이러한 삶보다는 저런 삶이 더 의미 있고 가치가 있다;는 생각이 들어서 그 제안을 수락했다. 나는 수락 메일을 보내는 동시에 대학교에 사직서를 내고 집으로 가서 열두 시간을 잤다. 자고 일어났을 땐 다시 메일이 와 있었다. 집 앞에서 기다리고 있으면 나를 태워 일하는 곳으로 데려다주겠다는 메일이었다. 나는 약속한 당일 집 앞에서 짐들을 들고 기다리고 있었는데 검은 봉고차가 내 앞에 멈춰 섰고 사람이 내리더니 이름과 전화번호를 물어보았다. 내가 답하자, 그 사람은 맞다는 제스처를 차 안에 전달했다. 그러자 차 안에서 한 명이 더 내리더니 내 짐을 대신 들어서 트렁크에 실어주었고 내가 차에 타자 수면제인지 모를 약을 먹이더니 나를 잠에 빠지게 했다. 일어났을 땐 기숙사 침대였고 그때 당시에는 드라마 '드라마 오징어 게임'이랑 비슷한 시작이라는 생각이 들기도 했다. 하지만, 무섭지는 않았다.

나는 일어나서 방을 둘러보았다. 그저 평범한 가정집의 방이라는 생각이 들었다. 방에서 나오자 다른 방에서 다른 사람들이 나오기 시작했다. 다들 나처럼 대학교수 같은 느낌이 들었고 다들 거실에 모여서 이야기를 해보니 대학교수거나 연구시설의 연구원인 사람들이었다. 그중에서 내 옆에 있던 한 사람이 나에게 이야기했다.

"저거 CCTV 아니에요?"

나는 그 사람이 가리킨 쪽을 보았다. 정말 CCTV 같은 장치가 달려 있었고 우리를 감시하기 위한 목적으로 설치된 것처럼 보였다 나는 그에게 대답했다.

"네, 그런 것 같네요. 혹시 이름이 어떻게 되세요?"

"아, 여기 제 명함입니다. 김 명인이라고 합니다."

명인은 나에게 명함을 건네며 말했다. 나는 명함을 받고서 나도 명인에게 명함을 주려고 주머니를 뒤졌으나 안쪽에는 아무것도 없었다. 생각해 보니 대학교를 나오며 명함도 전부 버렸던 것 같았다.

"저는 한 재원이라고 합니다."

우리는 서로 이름을 주고받았고 이를 계기로 나는 회사에서 그나마 친하게 지낼 사람이 생겼다. 그때 숙소의 문이 열리더니 아까 봉고차를 탈 때 봤던 남자가 서 있었다. 우리는 모두 그쪽을 바라봤고 그가 입을 열었다.

"반갑습니다. 저는 여러분에게 직접 메일을 보낸 사람입니다. 규정상 이름을 밝힐 수는 없습니다. 이 점 양해 부탁드리겠습니다. 아무튼 여러분들은 우리 회사에 정식으로 취업하셨습니다. 축하드립니다."

그가 박수를 쳤다. 우리도 따라서 박수를 쳤다. 박수가 끝나자 그가 다시 이어 말했다.

"정식으로 취업하셨으니 저희 회사의 매뉴얼을 소개해 드리겠습니다. 일어나시면 출근준비를 하시고 여덟 시 삼십 분까지 일 층 식당으로 오셔서 아침 식사를 하신 후에 오전 아홉 시가 되면 저희가 여러분들의 일터까지 모셔다드릴 겁니다. 이 과정에서는 수면제를 먹이지 않을 겁니다. 아무튼 출근하시게 되면 각자의 부서가 배치 될 것입니다. 그 부서에 맞춰서 그리고 상사의 말에 맞춰서 일을 하시면 되시고 퇴근은 오후 다섯 시입니다. 취침 시간은 자유이고 월급은 삼십 일마다 지급될 예정입니다. 현금으로 받고 싶으신 분들은 미리 말씀해 주시면 현금으로 드리도록 하겠습니다. 그 외에는 모두 저희가 드리는 카드로 입금될 예정이고 그 카드는 자유롭게 쓰시면 됩니다."

"생각보다 괜찮은데요?"

내가 명인에게 말했다. 명인도 그렇다는 듯이 고개를 끄덕였다. 그가 말을 이어갔다.

"또한 여러분들의 휴대전화는 저희가 수거해 가겠습니다. 입사 조건과 관련한 문제가 발생할 위험을 예방하기 위함이므로 이해해 주시기를 바랍니다. 대신 여러분들의 여가 생활을 존중하는 의미로 TV나 보드게임 혹은 스포츠 도구, 스포츠 시설, 그리고 서적 같은 것들 것 갖춰 놨으니 휴대전화 대신 이것들을 이용해 주시기를 바랍니다."

슬슬 지루해질 틈에 그의 마지막 공지가 들려왔다.

"마지막으로 월급을 자유롭게 쓰시는 것은 가능하나 저희가 지정한 경호원들과 같이 있으실 때만 사용하실 수 있습니다. 스물네 시간 삼백육십오 일 언제든지 대기 중이니, 사용하고 싶으실 때 언제든지 사용하실 수 있습니다. 질문 있으십니까?"

그의 길었던 회사 매뉴얼이 끝나고 나는 명인에게 말했다.

"수능 출제하는 거 같네요."

명인이 말했다.

"해보신 적 있으신가요? 저는 들어보기만 했지, 출제해 본 적은 없어서."

"네, 몇 년 전에 한 번 출제해 본 적 있는데 그때가 딱 지금 이랑 똑 같은 조건이 붙어있었어요."

"신가하네요. 이런 거 한 번쯤은 해보고 싶긴 했는데…."

"그래도 수능 출제는 돈이라도 많이 주는데 이건 어떨지 궁금하네요."

내가 명인에게 말하자마자 맞은편에 있던 사람이 그에게 질문했다.

"혹시 월급은 얼마 정도 될까요?"

그는 스스럼 없이 말했다.

"시간당 만 오천 원입니다. 대신 만 오천 원입니다. 대신 여러분들이 출근을 하지 않으시는 경우에는 시급이 나오지 않으며 일한 시간만큼 드릴 예정입니다. 만약 아프셔서 출근 못 하시는 불가피한 경우에는 저희 상사님들께서 판단하신 뒤에 인정을 해드릴 겁니다."

그의 대답에 질문자는 바로 수긍한 듯했다. 그 뒤로 질 문이 몇 개 더 들어왔다. 단순한 질문 이었는데 중간에 회사는 언제까지 다녀야 하는지 물어보는 질문이나 추 석과 주말 같은 공휴일 에는 어떻게 하는지 물어보는 사람도 있었다. 그는 '가능한 회사는 정년퇴직 전까지 다니실 것을 권장해 드리고 공휴일에는 회사를 나오지 않으셔도 되며 원하시는 분만 나오셔서 시급을 더 채워 가셔도 된다.'라고 대답했다. 더 이상 질문이 없자 그는 당장 내일부터 출근해야 하니 지금 푹 자두라고 권고한 뒤에 문을 닫고 나갔다. 그가 나가자, 우리 사이에는 정적이 흘렀다.

계속해서 어색한 공기가 흘러갈 때쯤 명인이 먼저 다른 사람들에게 말을 걸었다. "내일부터 같이 일할 사이인데 일단 친해져 보는 게 어떨까요?" 명인의 제안에 다른 사람들은 동의했고 명인은 술을 제안했다. 대부분이 삼십 대 중반에서 사십 대 초반인 사람들이기에 자유롭게 마실 사람을 정했지만, 모든 사람이 마신다고 했다. 명인은 대답을 듣고는 일단 술을 마실 수 있는지 물어보고 안되면 음료수라도 가져오겠다고 말한 뒤에 나가려는 움직임을 보였다. 그때 내가 말했다. "저도 같이 갔다 올게요." 명인은 부정하지 않았고 나와 함께 밖으로 나왔다. 밖으로 나오니 평범한 호텔 같은 복도가 늘어져 있었고 아까 우리 방에 왔던 그가 다른 방에서 나오는 게 보였다. 나는 그를 불렀다. "저기요!" 내가 소리치자, 그가 뒤를 돌아봤다. 그러고는 무슨 일이냐고 물었다. 내와 명인이 술을 마문 자, 그는 술은 공휴일에만 마실 수 있으며 음료수와 과자는 가능하다고 대답했다. 우리는 그의 대답에 그러면 그것들이라도 줄 수 있는지 물었는데 그는 가능하다고 말했고 방에 있으면 가져다주겠다고 말했다. 그는 우리에게 한 사람당 한 개면 충분한지와 같은 질문을 했고 우리 가 그 질문에 다 답하자, 그는 조금만 기다려 달라는 말을 한 뒤에 엘리베이터 쪽으로 발걸음 을 향했다. 그가 떠나자, 우리는 다시 방으로 돌아갔고 방에서 다른 사람들과 이런저런 이야 기를 하다 보니 정말로 그가 여러 종류의 과자와 음료수를 들고 노크했다. 우리는 그것들을 받아서 보드게임을 하거나 지금 중계되고 있는 스포츠 중계를 보거나 계속 수다를 떨었다. 그 때의 우리는 아무 걱정 없이 노는 마치 어린아이들로 돌아간 느낌을 받았다. 다음 날의 걱정 은 잠시 미뤄두고 지금의 행복을 즐기는 이런 삶이 진정한 삶이라는 생각이 들었다. 하지만 이런 생각이 든 날은 그날뿐이었다.

6화

다은날 우리는 그 남자가 말해준 어전 여덟 시 삼십 분까지 출근 준비를 마친 뒤 식당으로 내려갔다. 식당에는 여러 음식이 뷔페처럼 놓여 있었고 우리는 이런 서비스에 매우 만족하며 아침 식사를 마쳤다. 그러고는 숙소 로비 앞으로 모였다. 우리 방에 있는 인원 말고도 여러 방에 사람들이 들어있었었는지 무척이나 혼잡했다. 아홉 시 정각이 되자 어제의 그 남자가 우리 앞에 모습을 보였다. 그러고는 입을 열었다.

"지금부터 부서별로 구분되어 이동할 것입니다. 제가 호명하는 방의 인원들은 앞으로 나와주시기 바랍니다."

그 남자가 삼 번 방이라고 말하자 대여섯 명 정도 되는 사람들이 앞으로 나갔다. 하나같이 젊고 덩치가 좋은, 운동 잘할 것 같이 생긴 사람들이었다. 사람들이 다 앞으로 나오자 남자가 말을 이었다.

"여러분들은 일 호차를 타고 이동할 것입니다. 밖으로 나가서 숫자 일이 쓰인 버스에 탑승하시면 됩니다. 좌석은 자유롭게 앉으시면 됩니다.

사람들은 한명 한명 밖으로 나갔고 하나같이 머리 아픈 표정을 짓고 있었다. 아마 어제 새벽까지 놀고 잠을 많이 못 잔 모양이다. 나를 포함한 우리 방의 인원들은 나이가 좀 있는 편이라서 열한 시 까지만 마시고 잠에 들었다. 남자가 이어서 말했다.

"일 번 방."

우리 방을 호명했다. 나는 앞으로 나갔고 명인을 비롯한 우리 방 인원들이 앞으로 나갔다.

"여러분들은 이 호차를 타고 이동할 것입니다. 아까 들으셨다시피 밖으로 나가서 숫자가 쓰인 버스를 탑승하면 됩니다.

남자의 말이 끝나자 나는 걸음을 옮겼다. 무슨 일을 할지 너무 궁금했다. 옆에 있던 명인도 그런 모양이었다. 버스가 보이자 나는 그리로 들어갔고 명인에게 함께 앉을 것을 제안했다. 명인은 부정하지 않았다. 우리는 중간

좌석에 앉았고 우리 방 인원들이 다 들어오자 관리자로 보이는 한 사람이 마지막으로 탑승했고 기사에게 출발하자고 신호하자 버스가 출발했다.

회사로 가는 버스 밖으로 여러 산과 밭이 보였다. 우리가 있는 장소는 꽤 시골처럼 보였고 도로도 잘 포장되어 있지 않은 걸 보니 진짜 구석진 동네인 것 같았다. 회사까지 생각보다 오래 걸리는 것 같아서 관리자에게 회사까지 얼마나 걸리는지 물었다. 하지만, 관리자는 아무 대답도 해주지 않았고, 나는 머쓱하게 자리로 돌아왔다. 자리로 돌아오자 이미 명인은 잠들어 있었다. 남들이 자는 걸 보니 나도 잠이 오기 시작했다. 나는 결국 잠에 들었고 잠에서 깨자, 한 건물이 보이기 시작했다. 그 건물 앞으로 도착했을 때 관리자는 잠든 사람들을 깨워서 버스에서 내리게 했다. 버스에서 내려서 건물을 살펴보자 마치 연구시설 같은 구조로 되어 있었다. 연구원 출신이었던 사람들은 이런 게 익숙했는지 무덤덤했고 나처럼 다른 직업 출신들은 그 건물을 신기하게 쳐다봤다. 우리는 관리자를 따라 건물 내부로 들어갔다. 건물 내부로 들어가자 사람들이 바쁘게 움직이고 있었다. 그 광경 마치 진짜 연구시설을 연상케 했는데 한 가지 이상한 점이 있다면 사람들 얼굴이 모두 어두워 있었다. 눈에는 다크서클이 번져있었고 입술은 터 있었다 나는 그런 점이 불안하긴 했지만 시키는 대로만 한다면 문제없을 거라 생각하고 계속해서 건물 내부로 들어갔다. 관리자는 우리가 사용할 방까지 안내해 주었고 우리가 그 안에 들어가자 관리자는 되돌아갔다. 안에는 우리 말고도 많은 사람들이 있었다. 그리고 마찬가지로 다크서클에 입술이 터 있는 피곤해 찌든 사람들 밖에 없었다. 그때 한 사람이 우리 쪽으로 걸어왔다. 그러고는 우리를 쓱 둘러보더니 말했다.

"얘들아, 교육해라."

그러자 앉아있던 다른 사람들이 우리 쪽으로 다가와서는 우리를 끌고 가기 시작했다. 여기 온 이후로 제일 과격한 행위였다. 우리는 어느 큰 방으로 이동되었고 거기서 먼저 옷을 갈아 입게 했다. 아까 연구원들이 입고 있던 옷들이었다. 우리는 뭔지도 모를 상황에서 우선 옷을 갈아입었고 기다렸다. 시간이 일 분 정도 지나자 한 사람이 들어오더니 우리를 향해 소리를 질렀다.

"싹 다 엎드려!"

갑자기 소리를 지르는 남자의 등장에 우리는 영문도 모른 채 우왕좌왕했다. 그러자 그 남자는 다시 한번 엎드리라 소리치더니 손에 있던 플라스틱 톤파로 가장 가까이 있던 사람의 다리를 때렸다. 우리는 그 모습에 깜짝 놀라 재빠르게 엎드렸다. 우리가 전부 엎드리자, 그 남자는 이제야 만족한 듯 톤파를 내려놓고서 말했다.

"규칙을 알려 주겠다. 첫째 상사의 물음에만 대답할 것. 다른 사람과의 대화는 일절 금지한 다. 둘째 상사의 말은 전부 다 시행한다. 만약 상사의 명령을 시행하지 못한다면 여기서 퇴근 시간까지 계속 벌을 받게 될 것이다. 마지막으로 출근 안 할 생각하지 마라."

남자의 말이 끝나자 어느 용기 있는 한 사람이 말했다

"지… 질문해도 됩니까?"

"해라."

"어제 숙소에서 아프면 빠질 수 있다고 들었는데 아프면 어떻게 되는 건가요?"

그 사람의 질문에 남자는 화가 났는지 엎드려 있던 그 사람을 밀어버린 후에 톤파로 여러 차례 가격하기 시작했다. 그 사람은 아프다는 듯 신음을 내더니 남자가 때리기를 멈추자 그 사람의 신음도 저무는 듯했다. 하지만 통증이 남아있는지 계속해서 힘없이 앓는 소리가 들려왔다. 그때 남자가 말을 꺼냈다.

"어제 들은 게 그게 끝은 아닐 텐데. 분명히 상사의 판단하에 너희가 빠질 수 있는지 아닌지 결정한다고 들었을 것이다. 그런데 왜 이렇게 쓸데없는 질문을 하는 거지?"

그 남자가 화를 내며 그 사람의 배를 발로 세게 가격했다. 그러자 그 사람이 아프다는 듯 소리치더니 숨을 쌕쌕거리며 죄송하다고 말했다. 그제야 화가 풀렸는지 그 남자는 우리를 일으켜 세웠고 우리의 할 일을 알려 주었다.

"너희가 할 일은 인공지능 로봇을 만드는 것이다. 정확히 말하자면 설계도를 만드는 것이다. 그리고 그 설계도를 바탕으로 공장에서 인공지능 로봇을 제작할 것이다. 내가 할 말은 끝났으니 어서 머리나 굴려라."

그 남자가 나가자 또 다른 사람들이 우리를 연구시설로 이동시켰고 그곳에서 우리는 감시받으며 설계도를 짜기 시작했다.

그로부터 일 년이 지났고 우리가 설계한 인공지능은 합쳐서 고작 한 대밖에 되지 않았다. 우 리는 처음 봤던 연구원들과 다른 점이 없었고 그저 다크서클과 건조한 입술을 가진 회사의 노예로 전락했을 뿐이었다. 나는 이런 삶이 싫었다. 오히려 교수로서의 삶이 더 좋았을 것이다. 우리 중에서는 너무 많이 맞아서 휠체어를 타고 다니는 사람도 생겼고 이 시설 내에서 큰 수술을 받은 사람도 생겼다. 어떻게 했는지는 모르겠지만, 휠체어를 타고 다녔던 그 사람은 이 주 정도가 지나가 완전히 다리가 회복되어 다시 걸어 다닐 수 있게 되기도 했다. 우리는 처음 엔 이런 생활에 불만족하며 일부러 회사를 나가지 않기도 했지만, 숙소로 관리자들이 쳐들어와서 나를 끌고 갈 뿐이었다. 그날도 나는 지옥 같은 회사 생활을 마치고 숙소로 돌아와서 이 런 삶에 대한 회의감을 느끼고 있었다. 그때 내 방으로 명인이 들어왔다. 명인의 팔과 다리에는 멍이 새겨져 있었고 얼굴은 안 좋아 보였다. 그런 명인에게 나는 물었다.

"오늘 얼마나 맞았어?"

내가 묻자 명인이 대답했다.

"으음, 스무 대 정도 맞았나? 그런데 이정도면 양호한 편이지. 오십 대 맞은 사람도 있다는데."

나는 오늘 한 대도 맞지 않았다. 착실하게 일을 한다면 때리지는 않았다. 하지만, 이런 일의 스트레스로 인해 일을 제대로 하지 못하는 사람들은 맞았다. 명인도 그런 사람에 속했다. 명인은 아직도 통증이 남아있는지 한 번씩 맞은 부위를 만지곤 했다.

"지금 인공지능 로봇이 몇 대 정도 만들어졌는지 알아?"

명인이 물었다.

"아니, 나는 모르지. 애초에 설계도 짜는 일만 하니까 …."

목소리가 저절로 기어들어갔다.

나는 계속해서 설계도만 만드는 일을 해왔기 때문에 공장에서 얼마나 많은 로봇을 만들어 냈는지는 알지 못했다. 솔직히 궁금하긴 했다. 얼마나 만들었는지 또 그런 로봇들을 어디에 사용할 건지. 그때 명인이 말했다.

"우리가 만든 설계도로 만들어진 로봇들이 자그마치

오천 대가 넘어간다 하더라."

나는 내 귀를 의심했다.

"오천 대가 넘어가? 일 년 동안 그 만큼이나 만들어 낸 거야?"

"어. 솔직히 이 정도로 많이 만드는 건 잘 이해가 안돼. 도대체 뭘 하려고 이렇게 많이 만드는 거지?"

나도 명인의 말에 맞춰 고민하던 도중 한 가지가 떠올랐다.

"우리가 첫 설계도 만들었을 때 상사가 준 칩 있잖아. 그때 상사가 로봇에는 이 칩을 인식시키라고 했는데 내용은 살펴보지 말라고 했어. 솔직히 말하면 그 칩 안에 정보가 담겨있는 것 같은데 그 칩을 한 번 열어볼까?"

"나도 그 칩이 가장 먼저 생각나긴 했어. 도대체 뭐가 들어있길래 열어보지 말라는 걸까…."

나는 고민을 하다가 결정했다.

"그러면 내가 그 칩을 살펴볼게. 몰래 살펴보면 그 누구도 모를 거야."

내가 말하자 명인이 말렸다.

"미쳤어? 그거 들키기라도 하면 몇 대를 맞을지 모르고 심하면 맞아 죽을지도 모른다고!"

"우리한테 숨길 정도로 중요한 칩이라면 분명 그 칩을 인식한 인공지능은 세상에 나가면 안될 존재인 게 분명해. 만약 그 칩이 무기나 전쟁 관련 정보가 들어 있다면 나는 이 회사를 탈출하겠어."

내가 명인에게 말하자 어쩔 수 없다는 말했다.

"그래, 너 알아서 해라. 근데 만약 탈출하게 된다면 우리도 빠져나올 수 있게 도와줘."

"당연하지. 내가 탈출한 뒤에 다른 사람들도 다 탈출하게 할 거야."

우리는 서로 약속했고 나는 그 다음 날 칩의 정보를 확인했다. 그 칩에는 내가 예상한 대로 전쟁 관련한 정보가 들어있었고 이 회사는 인공지능을 살상 무기로 만들 거라는 사실까지 알아냈다. 나는 그 정보를 확인 한 날 밤에 탈출을 시도했다. 그리고 그 과정에서 한 로봇을 빼돌렸다. 나는 이 로봇을 통해 먼 미래일지 모르겠지만,

이 회사의 로봇들을 모두 정화할 것이 라 다짐했다. 탈출하는 도중에 여러 관리자를 만나서 쫓기고 테이저 건을 맞을 뻔했지만, 우연 인지 그것들을 모두 피한 채 멀리 보이는 산으로 도망치기 시작했다. 내 뒤에는 인공지능 로 봇도 함께 달리고 있었다. 인공지능 로봇은 나에게 계속 질문했다.

"회사에서 점점 멀어지고 있습니다. 어서 회사로 돌아가야 합니다."

하지만, 로봇은 저런 말을 하면서도 나와 함께 달리고 있었다. 아마 자기 스스로 생각은 되지만 행동으로는 옮길 수 없는 모양이었다. 나는 계속해서 로봇과 달렸고 어느 한 마을이 보일 때까지 쉬지 않고 달리기를 반복했다. 산을 넘어가자, 뒤에서 쫓아오던 관리자들도 더 이상 쫓아오지 않았다. 내가 마을에 도착하자 마을 노인들이 나의 상태를 보더니 병원에 데려다 주었다. 쫓기는 과정에서 다친 상처를 병원에서 정성스레 치료해 주었고 나를 마을에서 쉬 게 해주었다. 이런 과정에서도 인공지능 로봇은 나와 함께 했다. 나는 그날 이후부터 그 로봇에게 하늘이라는 이름을 붙여주었고 하늘을 개조하여 감정을 가질 수 있는 로봇으로 만들었다. 하늘이 배우는 감정으로 그 회사의 로봇들을 치유할 것이라는 목적을 가지고 나는 계속해서 회사와 멀어진 삶을 살고 있었다.

"연구원 한 명이 탈출했다고?"

"네. 오늘 밤 탈출한 모양입니다. 수색조가 최대한 쫓아갔지만 산을 넘어가는 바람에 더 쫓지는 못하였습니다."

"뭐, 그건 내가 정해둔 거니까. 어쩔 수 없는 거고. 이 장소 외에서까지 잡으려고 한다면 아마 우리에게 독으로 돌아올 거야. 그러니까 더 이상 그 연구원 추적은 하지 마."

"네, 알겠습니다. 그런데 한 가지 문제가 있습니다."

"뭐지?"

"그 연구원이 저희가 만든 인공지능 로봇 한 기를 빼돌려 달아났습니다."

"그건 좀 심각하군. 로봇을 빼돌려서 개조한 뒤에 우리 회사로 다시 찾아오거나 근처에 서성이기만 해도 다른 로봇들에게 영향이 갈 수 있다. 자네 생각은 어떻나. 어떻게 하면 좋을 것 같나?"

"제가 괜찮은 생각이 있습니다. 들어보시겠습니까?"

"들어보지."

7화

"저기, 사장님 계시나요?"

한 청년의 목소리가 들려왔다. 어디서 들어본 익숙한 목소리다 싶어서 최대한 옷매무새를 다듬고 눈물도 닦은 채 청년을 맞이하러 나갔다. 창고 문을 열고 나가자 내 예상대로 한 청년이 서 있었고 그 옆에는 작은 키를 가진 중년의 여성도 서 있었다. 청년이 나를 발견하자 나에게 다가오더니 손을 내밀며 말했다.

"잘 지내셨어요?"

청년의 손을 본 다음 다시금 얼굴을 확인하니 그제서야 누군지 알 수 있었다. 개업 첫날 우리 가게에 와서 바이올린을 사 간 그 청년이었다. 나는 너무 반가운 나머지 청년의 손을 와락 잡으며 말했다.

"오랜만이네요. 잘 지냈어요?"

"청년은 나의 물음에 미소를 가득 띤 채 말했다.

"그럼요. 사장님이랑 저 친구 덕분에요"

청년의 말에 나는 물론이고 뒤에 서있던 하늘도 쑥스러운 표정을 지었다. 나는 하늘에게 내 옆에 오라는 손짓을 했고 하늘은 우물쭈물하며 내 옆으로 왔다. 그러고는 다시 청년에게 물었다.

"다행이네요. 그런데 옆에 서 계신 분은 어머니신가요."

내가 조심스럽게 묻자 청년은 옅은 미소를 띄며 말했다.

"네 맞아요. 무사히 퇴원하셔서 이렇게 같이 왔어요. 그런데 저번에도 말씀드렸다시피 팔은 아직 못 쓰세요."

내가 청년의 어머니에게 눈을 도릴자 청년의 어머니는 나에게 인사를 하고는 나에게 말했다.

"정말 감사합니다…."

나는 순간 당황해서 말을 꺼내지 못했다. 그러고는 청년의 어머니의 말을 부정하며 말했다.

"아닙니다. 저는 뭐 해드린 게 없습니다. 대신 이 친구에게 인사해 보시는 건 어떠신가요?"

나는 내 옆에 서 있는 하늘을 가리키며 말했다. 하늘은 내 말에 얼굴이 붉어지더니 당황한 기색을 보였다.

"저도 해드린 게 없습니다. 그저 손님께 어울릴 만한 바이올린을 추천해 드린 게 전부라서…."

"착하신 분들이 겸손하기까지 하시네요. 뭔가 해준 게 없어요. 우리 아들 고민 들어주고 바이올린 추천해 주고 응원해 준 게 뭐가 해준 게 없는 거예요?"

저렇게까지 말씀하시니 우리는 할 말이 없어졌다. 내가 계속 아무 말도 안 하고 있자 옆에서 하늘이 작은 목소리로 말했다.

"다행입니다…."

하늘의 말을 들은 청년과 청년의 어머니는 서로를 마주 보더니 웃으며 다시 우리를 봤다. 그러고는 청년의 어머니가 우리에게 다가와 우리를 꼭 안아주었다. 팔을 못 쓰시는 관계로 포옹이라고 할 수 없었지만, 포옹 그 이상의 기분이 들었다. 청년과 청년의 어머니가 우리에게 진심으로 감사하다는 게 느껴졌고 하늘도 그렇게 느낀 것 같았다. 나는 팔이 없는 청년의 어머니를 대신해 내 팔로 청년의 어머니를 꼭 안아드렸다. 이 모습을 본 하늘도 청년의 어머니를 자기 팔로 안아드렸다. 그 다음엔 청년도 꼭 안아주었다. 하늘과 포옹하는 청년을 보니 눈물이 조금 나왔다. 그렇게 감동의 재회 이후에 청년은 손에 들고 있던 바이올린을 꺼내며 나 에게 말했다.

"이걸로 10월의 어느 멋진 날에 연주해 드릴게요. 어머니랑 사장님이랑 하늘이한테 맨 처음 연주해 드리려고 했거든요. 어머니도 입원 생활 끝나면 여기서 같이 듣고 싶다고 하셨고요."

청년의 어머니는 우리에게 다시 한번 고개를 숙여 감사를 전했다. 나와 하늘도 재빨리 고개를 숙였다. 영광의 의미였다. 청년은 우리를 의자에 앉히고는 앞에 서서 바이올린 연주를 시 작했다. 청년의 바이올린 음색을 들으니, 마치 유명한 바이올리니스트의 공연을 보는 듯한 느낌이 들었다. 청년의 바이올린에는 청년의 진심과 어머니를 향한 사랑이 들어 있었고 그 바이올린으로 연주하는 청년의 모습은 마치 음악가를 연상시켰다. 지금, 이 순간만큼은 청년보다 바이올린을 잘 켤 수 있는 사람은 없을 거라는 생각도 들었다. 청년의 연주를 듣는 청년의 어머니는 눈물을 흘리고 계셨다. 하늘은 옆에서 어머니의 눈물을 닦아드리고 있었다. 저번에 청년이 바이올린을 사 갔을 때 청년의 목표를 어머니께 이 음악을 들려주는 것이었다. 그리고 지금 청년은 목표를 이루고 있었다. 자기 스스로 만들어 낸 성공을 이루고 있었다. 나는 성공을 이루고 있는 청년을 보며 눈물을 흘리고 있었고, 하늘은 내 눈물마저 닦아주고 있었다. 그 때 나는 하늘의 얼굴에서 눈물이 흐르는 모습을 보았다. 하지만, 하늘은 그걸 인지하지 못한 듯했다. 하늘을 만들며 배우기 제일 어려운 감정이 눈물을 흘리는 감정인 슬픔이라는 생각을 했었다. 그래도 하늘의 눈물을 바라며 물을 넣어두긴 했었다. 슬픈 감정을 느끼면 자기 스스로 눈물을 흘릴 수 있도록. 그런데 지금 하늘은 슬픔이라는 감정을 느끼고 있고 눈물을 흘리고 있었다. 그 말은 즉 나의 목표도 이루어지는 순간이었다. 이 가게를 차리며 하늘에게 감정을 배우게 해주겠다는 목표를 이뤄낸 것이었다. 여태까지 많은 손님이 왔다 가며 하늘은 많은 감정을 배웠다. 베이스 손님에게서 용기를 배웠고 피아노 소녀에게서 기쁨, 리코더 초등학생에게서 우정을 배웠고 바이올린 청년에게서 사랑을 배웠다. 그리고 그 밖의 여러 손님에게서 많은 감정들을 배웠다. 그 감정들은 하늘을 이루는 밑바탕이 되어주었고 하늘을 완벽한 사람이 되도록 해주었다. 나는 눈물을 더 흘리기 시작했고 하늘은 내 얼굴을 계속 닦아주었다. 물론 청년의 어머니도 닦아주었다. 청년의 연주가 끝나자, 우리는 박수를 보냈고 청년은 어머니에게 다가가서 어머니를 꼭 끌어안았다. 그러고는 청년과 청년의 어머니가 우리에게 마지막으로 인사했다.

"고맙습니다."

청년과 청년의 어머니를 배웅한 뒤 다시 들어오려 했는데, 가게 앞에 편지가 한 장 놓여있었다. 나는 그 편지를 들고 들어와서는 편지를 열어보았다. 그 편지는 초등학생의 필기체로 쓰인 것 같았는데 편지를 쭉 읽어보니 저번에 리코더를 사러 왔던 초등학생의 편지라는 걸 눈치 챘다. 그리고 그 초등학생의 이름이 호영이라는 걸 알게 되었다. 편지를 다 읽자, 편지 봉투 안에는 어떤 사진이 한 장 있었고 그 사진에는 리코더를 부는 호영이와 호영이 친구의 모습이 찍혀 있었다. 나는 그 모습을 보며 픽 웃었고, 다시 가게로 들어와서는 하늘에게 그 편지를 보여주었다. 하늘은 편지를 보며 나와 같이 웃으며 말했다.

"다행이네요."

"나도 그렇게 생각해."

우리는 말을 주고받았고 나는 노트북을 켜서 배경음악을 트려고 인터넷에 들어갔는데 인터넷 뉴스에 "한 소녀가 피아노 콩쿠르를 휩쓸어 가다."라는 제목으로 기사가 나 있었고 기사를 자세히 보니 이번에도 우리 손님의 작품이었다. 기사를 읽어보니 최근 몇 달간 콩쿠르는 그소녀가 다 휩쓸어 간 듯했다. 소녀는 다행히 트라우마를 극복한 듯했고 상을 받은 사진이 함께 첨부되어 있었는데 소녀는 어머니와 함께 함박웃음을 지으며 행복해하고 있었다. 소녀의 근황을 뒤로하고 노래 재생 사이트에 들어가서 배경음악을 고르고 있었는데 어느 한 썸네일에서 익숙한 베이스를 들고 있는 여성이 버스킹을 하고 있는 게 보였다. 클릭해서 들어가 보니 역 시나 저번에 함께 공원에서 버스킹 했던 손님이 그때 샀던 베이스를 들고 버스킹을 하고 계신 영상이었다. 손님 주변에는 사람들이 많이 몰려 있었고 손님은 당당히 베이스를 연주하고 있었다. 밑의 설명란을 읽어보니 손님의 채널이 나와 있어서 들어가 보니 구독자가 오만이 넘었 고 조회수가 십만이 넘는 영상도 있었다. 이것들도 하늘에게 보여주니 하늘은 미소를 지으며 나에게 말했다.

"저희 정말로 아무것도 한 게 없진 않은 것 같습니다."

"그렇네. 우리가 정말 누구를 돕긴 한 것 같아."

나는 손님들의 바뀐 모습을 보며 다시 한번 마음을 다잡았다. '로봇들을 정화하고 사람들을 구해낼 수 있을까'가 아닌 '로봇들을 정화하고 사람들을 구해낼 수 있다'고 생각이 바뀌었다. 나는 그날부터 하늘과 함께 로봇들과 사람들을 구하기 위한 계획을 세웠다. 로봇들을 정화하는 건 문제없이 해결될 수 있었다. 로봇들을 지휘하는 메인 컴퓨터에 하늘을 연동시켜서 하늘의 감정을 통해 로봇 전체에게 감정과 신념을 불어넣고 전쟁과 폭력에 관한 파일들을 전부 지우면 된다. 하지만, 사람들을 구출하는 게 문제다 원래라면 로봇들에게 사람들을 구하는 프로그램을 넣어서 사람들을 구해내는 계획을 세웠었지만, 나가기 싫어하는 회사의 간부들이나 직원들이 메인 컴퓨터나 로봇들을 건드려 방해할 수도 있었다. 그렇다고 메인 컴퓨터와 로봇들을 둘 다 관리하기에는 이 일에 관련된 사람이 나와 하늘뿐이라 곤란했다. 이에 관해서 생각하는 나에게 하늘이 말했다.

"혹시 김명인 씨를 설득하는 건 어떠십니까."

나는 하늘의 말을 진지하게 고민해 보기 시작했다. 명인의 말에 따르면 지금 명인은 회사의 간부로 일하고 있고 로봇들을 설계한 연구원이다 보니 우리가 로봇들과 사람들을 구하는 데 굉장히 효과적인 인력이 될 수 있었다. 하지만, 어떻게 설득할지가 문제였고 명인이 언제 올지도 모르는 상황도 문제였다. 내가 이에 관해서도 하늘에게 말하자 하늘은 이에 관해서도 생각을 해 볼 필요가 있다고 말했다. 나는 하늘의 말에 계속해서 고민해 보다가 복잡해진 머리를 좀 식히기 위해 산책을 나왔다. 가게는 하늘에게 맡겨 두고 바깥을 걸으며 머리를 식히고 있는데 저 멀리서 명인이 걸어오는 게 보였다. 명인은 스마트폰을 보고 있었고 나는 그 모습에 나도 모르게 옆 골목으로 숨어들었다. 골목으로 숨어서 명인을 몰래 지켜보니 명인은 스마트폰을 보며 한숨만 푹푹 내쉬고 있었다. 그러고는 어떤 건물로 들어가는 게 보였다. 나는 명인이 건물로 들어가자, 명인을 쫓아 건물 앞으로 갔는데 그 건물은 병원이었다. 병원 안으로 명인이 엘리베이터를 타고 가는 게 보였고 나는 엘리베이터 문이 닫히자, 명인이 탄 엘리베이터 앞으로 가서 삼 층에서 멈추는 것을 확인하고는 계단을 타고 삼 층으로 올라갔다. 헉헉대며 삼 층 문을 열자, 나는 삼 층이 입원 동이라는 것을 깨달았다. 그때 명인이 어떤 병실로 들어가는 게 보였고 나는 명인이 들어간 병실의 입구로 걸어갔다. 명인이 들어간 병실은 좁았고 여러 명이 쓰는 병실보다는 일 인실로 보였다. 문 옆에 있는 환자 리스트를 보니 김연이라고 적혀 있었다.

나는 명인이 나오기를 기다렸고 삼십 분 정도 지나자, 명인이 나왔다. 명인은 나를 눈치채지 못한 듯했고 나는 명인을 불렀다.

"김명인."

내가 부르자 명인은 내가 서 있는 쪽을 바라봤다. 그러고는 당황스러운 눈빛을 하고서 물었다.

"네가… 여기 어떻게 있지?"

나는 그딴 건 상관없다는 듯이 명인에게 다가가 물었다.

"네 딸인가 봐?"

내 물음에 명인의 눈동자가 흔들리는 것이 보였다. 나는 그때 딸이라고 확신했다. 명인은 자신을 따라오라고 말했고 나는 그를 따라 휴게실로 들어갔다. 휴게실에 들어서자 명인은 바로 뒤를 돌아 내 멱살을 잡았다.

"너. 나 쫓아왔냐…?"

명인의 목소리에서 떨림이 느껴졌다.

"어."

명인은 내 멱살을 거칠게 놓더니 물었다.

"그래, 따라오니까 어때? 조금은 이해가 되나?"

"네가 왜 이렇게 나를 찾는지 이해가 되네."

나의 대답에 명인이 웃으며 말한다.

"너 잡겠다고 회사에 큰소리쳐놓고 이렇게 딸 얼굴만 보고 있으니까 참 행복하네. 뭐, 이렇게 된 것도 너 덕분이라고 봐야지."

명인은 웃음을 멈추더니 금새 떨리는 목소리로 이어

서 말했다.

"그런데 이제 회사에서 복귀하래. 지금 몇 년째 못 잡고 있는지 모르겠단다. 근데 이대로 돌아가면 내가 어떻게 될 것 같냐? 내가 얌전히 살아서 사회에 나올 것 같아? 지금 딸도 건강이 안 좋아서 겨우겨우 병원에 돈 대고 있는데 이대로 회사에 가면 누가 우리 연이를 봐주는데. 그러니까 제발… 나 좀 따라와줘…."

명인의 말이 끝나자마자 명인이 주머니에서 전기 충격기를 꺼내 나에게 대려고 했다. 나는 가까스로 피한 후 명인의 다리를 걸어서 넘어뜨렸다. 넘어진 명인은 포기하지 않고 전기 충격기를 내 다리에 대려 했다. 그러자 나는 신발로 전기 충격기 손잡이 부분을 차서 전기 충격기를 날려버린 뒤에 명인의 뺨에 귀싸대기를 때렸다. 그러고는 소리를 질렀다.

"정신차려. 방법이 그것만 있는 건 아니잖아."

8화

내가 소리를 지르는 바람에 병원 직원들과 간호사들이 휴게실로 들이닥쳤다. 간호사들은 명 인이 쓰러져 있는 걸 보고는 응급실로 데려간 뒤에 휴식을 취하게 했다. 나는 그 옆에서 명인을 지키고 있었고 당연히 전기 충격기를 품속에 숨겨둔 뒤였다. 명인이 숨을 쌕쌕거리며 자는 동안 나는 가게에 전화를 걸어서 하늘에게 좀 늦게 들어갈 것 같다고 말한 뒤에 가게 마감을 부탁했다. 하늘은 불평 없이 알겠다고 말한 뒤에 나를 걱정해 주었다. 나는 아무 일 없다며 하늘을 안심시킨 뒤에 명인이 깰 때까지 명인을 설득할 방법을 고안하고 있었다. 그러다가 깜 빡 잠이 들었는데 꿈속에서 과거의 내 직장 동료들을 마주 쳤다. 그들은 전보다 더 노쇠해 있었고 건강도 좋아 보이지 않았다. 그들은 내 눈을 보며 계속해서 살려달라고 말 했고 나는 그 모습을 보며 도망쳤다. 하지만, 도망치는 나 자신이 나는 싫었고 다시 돌아가서 그들을 안아 주며 내가 꼭 구해주겠다고 말해주었다. 그때 나는 잠에서 깼고 명인도 마침 눈을 떴다. 나는 간호사들을 불러 명인이 잠에서 깼다고 말해준 뒤에 명인이 의사에게 진찰받는 동안 명인의 의료비를 내가 대신 내고 왔다. 갔다 오자 명인은 의사에게 조심해야 할 점을 듣고 있었다. 나는 의사가 갈 때까지 기다렸다가 의사가 응급실에서 나가자, 명인에게 다가갔다. 명인은 나를 보더니 말했다.

"그래서 방법이 뭐가 있는데."

명인의 목소리에는 힘이 빠져있었다. 나는 명인에게 이때까지의 계획을 설명해 주었다. 명인은 내 계획을 듣고는 생각하는 듯하더니 우리의 계획에 동참하기로 했다. 대신 연의 안부를 걱정했는데 그에 관해서는 당연히 걱정하지 말라고 했다. 연의 병원비를 비롯한 연을 돌봐 줄 사람까지 구해 놓았고 연의 안부보다 명인 자기 자신을 먼저 걱정하라고 말해주었다. 그러자 명인은 조그맣게 다행이라고 말했고 응급실을 나와서 연의 병실로 향했다. 가면서 계획에 몇 가지 사항을 추가했다. 우선 나와 하늘이 잡힌 척 회사로 명인과 함께 들어가고 그 후에 명인 이 몰래 우리를 풀어준 뒤에 함께 로봇이 있는 곳으로 가서 로봇들에게 사람들을 구하는 명령을 실행시키기로 했다. 하지만, 전에도 걱정했듯이 다른 사람들이 로봇과 메인 컴퓨터를 건드릴 것을 대비해 로봇들에게 마취총을 주어 자기에게 피해를 주는 사람들에겐 마취총을 쏘는 명령도 추가하기로 했다. 그리고 메인 컴퓨터는 우리가 지키고 있기로 했다. 명인이 연의 병실에 들어가자, 나는 그 밖에서 명인을 기다렸다. 명인이 오랫동안 나오지 않았지만, 나는 아무런 투정 없이 기다렸다. 마지막이 될 수도 있는 딸과의 만남을 허투루 보내지 않았으면 하는 마음이었다. 오랜 시간이 지났고 명인이 나오자, 나는 명인과 함께 가게로 향했다.

가게로 가자, 하늘이 자기 스스로 충전 의자에 앉아서 눈을 감고 있는 것이 보였고 나는 명인을 내 침대에서 재우고 나는 소파에서 잠을 청했다. 그런데 아까 병원에서 우리 둘 다 자서 그런지 쉽게 잠에 들지 않았다. 서로 아무 말도 하고 있지 않았지만, 서로 자고 있지 않다는 것은 알고 있었을 것이다. 나는 겨우겨우 잠에 들었고 명인은 나보다 늦게 잠에 들었다. 아침이 되자 나는 하늘에게 명인을 정식으로 소개해 주었고 하늘은 명인을 미덥지 않은 표정으로 쳐다보았지만, 어쩔 수 없다는 듯 명인을 받아들였다. 그 뒤로 우리는 가게 영업을 멈춘 뒤에 한 달 동안 세세한 계획을 세웠다. 이때까지 나온 계획들을 종합해서 계획을 세웠고 중간중간 부족한 부분들과 만일을 대비한 부분들 하나하나까지 세세하게 계획했다. 그동안 명인은 나와 하늘을 데리고 회사에 복귀하겠다고 회사에 알렸고 최종적으로 완성된 계획은 이러했다.

우선 나와 하늘이 명인과 함께 회사로 들어간다. 회사는 침입자가 있을 경우엔 우선 가둬놓고 심문하기 때문에 우리도 감금실로 이동될 것이다. 우리가 감금실에 있는 동안 명인은 자기가 감금실을 관리할 수 있도록 상사를 설득한다. 이 점은 명인이 자기에게만 맡겨달라고 했기 때문에 걱정되진 않는다. 그러고는 새벽 한 시쯤에 나와 하늘은 메인 컴퓨터로 이동한다. 그 다음에 명인은 회사에 구비되어 있는 마취총들을 전부 꺼내와서 로봇들이 나가면서 하나씩 집어 갈 수 있도록 창고 입구에 세팅해 둔다. 사람들을 마취시켜 데려가기 위함이다. 그 다음 명인은 우리와 합류한다. 그동안 나는 하늘을 메인 컴퓨터에 동기화 시켜서 로봇 전체에게 하늘의 신념과 감정들을 불어넣고 로봇들에게 사람들을 구하는 프로그램과 마취총 프로그램을 입력시킨다. 마취총은 모든 사람들에게 사용할 것이며 당한 사람에게는 자유를 당함을 준 사람 들에게는 수갑을 주기로 했다. 하지만 여기서 회사는 보안용 로봇들에게는 진짜 총을 쥐어 주기 때문에 보안용 로봇들마저 사람들을 구하기 위해 쓴다면 인명 피해가 일어날지도 모른다. 그리고 마취총 프로그램과는 서로 엮여 오류가 날 수도 있다. 나는 사람들을 구하려는 것일 뿐 방해하는 사람들을 죽이려는 생각은 없어서 보안용 로봇들에게는 메인 컴퓨터로 오도록 프로그램을 별개로 심어주고 메인 컴퓨터 쪽으로 오면 그때 전원을 전부 꺼버린다. 그리고 보안 용 로봇들도 다른 로봇들이 사람들을 탈출시키는 것처럼 데리고 간다. 그 다음에 내가 탈출했 던 루트로 가면 된다. 사람들이 안전하게 탈출하고 나면 로봇들은 파괴하고 고위 관료들이나 간부들은 경찰에 넘긴다. 저번에 나 혼자 탈출했을 때 경찰은 내 말을 믿지 않고 그냥 어정쩡 하게 수사하는 척만 하고 넘겼지만, 이번엔 피해자가 다수이다. 심지어 바이올린 청년 어머니의 지인 중에 경찰 간부가 있다고 하셔서 청년 어머니께 부탁을 드렸더니 경찰에서 잘 협력해 주신다고 하셨다. 여기서 경찰과 협력해서 하는 게 낫지 않겠냐는 제안을 받았지만, 경찰이 시작부터 개입하게 된다면, 그리고 회사가 눈치를 채게 된다면 오히려 회사는 경계를 더 심하 게 할 수도 있었다. 이 점을 고려해 우리가 먼저 회사에 들어가서 사람들을 구한 뒤에 경찰이 개입해서 마무리를 해주기로 했다. 하지만 여기서 걱정되는 건 딱 두 가지이다. 하나는 명인 이 설득할 수 있느냐 없느냐이고 다른 하나는 하늘이 과부하가 걸리지 않을까 이다.

명인에게는 내가 정말로 설득할 수 있는지 몇 번이고 물어봤지만, 자기 딸이 달린 계획인데 자기가 설득 못 시킬 것 같냐고 말했다. 나는 그 말을 듣자 이에 관한 걱정은 사라졌다. 하지만 하늘이 문제였다. 하늘에게도 따로 물어봤지만 하늘은 걱정하지 말라고 했다. 혹시 몰라 서 하늘의 복제 파일들을 여러 개 준비해 두긴 했지만, 하늘에게서는 완벽하게 걱정이 사라지지 않았다.

거사를 치를 전날 밤, 나는 잠이 오지 않았다. 아니, 안 오는 게 정상일지도 모르겠다. 명인은 전날까지 에너지 음료를 마셔가며 계획을 검토했고 피곤했는지 곤히 잠들어 있었다. 나는 쌩쌩한 몸을 이끌고 가게를 돌아다녔다. 여러 악기를 보며 그동안 있었던 일들을 회상했다. 바이올린, 베이스, 리코더, 피아노, 일렉기타, 우쿨렐레, 드럼 등 여러 악기가 나에게 힘을 주는 것 같은 느낌이

들었다. 그때 뒤에서 하늘의 목소리가 들렸다

"안 주무십니까?"

"어? 어. 잠이 잘 오지 않네….”

나의 말에 하늘은 내 옆으로 오더니 말했다.

"이때까지 잘 준비하시지 않으셨습니까. 걱정하지 마시고 푹 주무십쇼."

내가 아무 말 하지 않고 있자 하늘이 근처에 보이는 통기타를 집었다. 그러고는 자세를 잡더니 연주를 시작했다. 얼굴에서는 연주에 빨려 들어가는 듯한 표정이 보였고 손가락은 운지법을 지키기 위해 노력하는게 보였다. 그런데 이 곡은 처음 들어보는 곡이었다. 어디서도 들어보지 못한 곡이었다. 나는 휴대전화를 사용해 이 곡의 정체를 밝혀보려 했지만 정보가 나오지 않았다. 하지만 좋은 연주였다. 하늘의 연주가 끝나자 나는 박수를 치며 물었다.

"곡 이름이 뭐야?"

"없습니다. 제가 작곡한 곡입니다.”

"어?"

나는 당황해서 말이 나오지 않았다. 인공지능이 스스로 작곡할 줄 아는 건 알고 있었다. 나도 몇 번 해보았으니까. 하지만, 하늘이 작곡을 했다고 하니 뭔가 색다른 느낌이 들었다.

"한 번 더 연주해 줄래? 영상 찍고 싶은데."

"아 물론입니다."

하늘은 다시 기타를 잡더니 연주를 시작했다. 기타의 음색이 가게의 배경음악이 되었고 그 순간만큼은 가게가 공연장이 되어 있었다. 그 연주는 나에게 위로와 안도를 건네주었고 그날 밤은 하늘의 연주가 나를 재웠다고 말할 수 있는 밤이 되었다.

♪♪♪

FINALE

명인이 운전대를 잡고 운전하는 동안 나와 하늘은 해가 지고 있는 창밖을 보며 멍을 때리고 있었다. 나는 그저 하늘이 다치지 않고 우리와 함께 돌아오기만 하면 좋겠다는 생각 밖에 들지 않았다. 명인은 운전하면서도 뒷자리를 힐끔힐끔 쳐다보며 우리의 상태를 살피고 있었다. 그러고는 내비게이션을 보더니 우리에게 말했다.

"거의 다 왔어."

명인의 말에 정신을 차리고 보니 나를 도와주었던 마을이 보이기 시작했다. 이제와서 다시 보니 감회가 새롭기도 하고 신기했다. 차에서 내리니 그때 보았던 그 마을 그대로 남아있었다. 마을에서 꽤 오랫동안 머물렀던지라 어디가 어디에 있고 누가 누군지 알아볼 수 있었다. 마을 회관 부근을 걸어 다니다가 마을회장처럼 보이는 사람을 발견했는데 내가 탈출했을 때와는 다른 화장님이 계셨다. 나는 그런 마을의 그리운 모습들을 뒤로 한 채 하늘과 명인을 따라 회사가 있는 길로 들었다. 마찬가지로 회사로 가는 길마저 바뀐 게 없었다. 걷다 보니 해가 다 지고 어둠만이 남아있었고 회사의 형체가 보이고 있었다.

"내가 여기 다시 올 줄은 몰랐는데."

내가 말하자 하늘과 명인이 각각 대답해 주었다.

"저도 그때의 기억이 나는 것 같습니다."

"나도 여기 걸어가 보는 건 오랜만이네. 나올 땐 차 타고. 나왔으니까."

나는 가면서 다시 한번 챙긴 물품들을 확인해 보았다. 그런데 하늘의 파일을 복제해 둔 디스크가 없었다. 아마 차에 두고 온 것 같았는데 지금 돌아가서 다시 가지고 오기에는 너무 멀리 와버렸고 경찰들과 합의한 시간에도 맞지 않을 것이다. 나는 이 사실을 하늘에게 말했지만, 하늘은 괜찮다는 말만 여러 번 반복했다. 아마 나에게 부담을 주지 않게 하려는 것 같았는데 나는 하늘만 믿고 가기로 했다.

회사에 가까워질수록 긴장되는 것이 느껴졌다. 긴장되는 게 정상일지도 모른다. 잘못하면 영원히 회사에 갇힐 수도 있는 작전이었고 정말 잘못되면 죽을 수도 있으니 긴장되는게 당연했다. 긴장하고 있는 나와 명인을 보고는 하늘이 우리 둘의 손을 잡아주었다.

"잘될 겁니다. 이때까지 잘 준비했고, 제가 시뮬레이션도 몇 번이나 돌려서 대부분 성공하지 않았습니까. 그러니 긴장하지 않으셔도 됩니다. 그리고 비록 문제가 발생해도 희생되는 건 접니다."

나는 하늘의 말에 긴장이 조금 풀린 느낌이 들었고 빨라진 심장 박동도 서서히 느려졌다. 하지만, 하늘의 마지막 말이 마음에 걸렸다. 나는 하늘을 희생시키고 싶지 않다. 아무도 다치거나 희생되지 않고 다 같이 돌아오는 게 이번 작전의 마지막 목표라고 생각하고 있었다.

"긴장 풀어줘서 고마워. 그런데 난 너를 별로 희생시키고 싶지 않아."

내 말에 명인이 옆에서 거들었다.

"나는 너처럼 감정을 가진 인공지능은 본 적이 없어.

방금 네가 한 것처럼 우리의 긴장을 우리의 감정에 맞춰서 풀어주는 인공지능은 이 세상에 드문 존재다. 그러니 너는 무사히 돌아가서 이 세상 인공지능 발전에 이바지하는 게 여기서 희생되는 것보다 더 높은 가치가 생길 것 같다.

명인이 하늘에게 나와 같은 취지의 말을 건넸다. 그러자 하늘이 알겠다고 답했다.

"알겠습니다. 최대한 희생이 필요한 상황이 나오지 않도록 최선을 다하겠습니다."

"좋아."

하늘의 대답을 들은 나와 명인 그리고 하늘은 계속해서 걸어갔고 회사의 정문에 도착했다. 정문에 도착할 때쯤 나와 하늘은 수갑을 찬 채로 명인의 뒤에 서 있었고 경비원들은 명인과 우리를 보더니 들여보내 주었다. 우리가 예상한 대로 나와 하늘은 감금실로 이동되었고 명인은 은밀히 작전을 위해 상사를 설득하러 가고 있었다.

감금실에 감금된 지 한 시간 정도 지나자, 열쇠 흔들리는 소리와 구두 소리가 겹쳐서 들려오기 시작했다. 그런데 구두 소리는 한 개가 아닌 두 개가 들리는 느낌이었다. 소리의 주인이 우리 감금실 앞에 모습을 비췄다.

"오랜만이네?"

첫날, 우리에게 공포를 심어준 상사였다. 지금은 승진을 거듭하여 꽤 높은 직위까지 올라간 모양이었다.

"그러게 왜 탈출해서…. 어차피 이렇게 다시 잡혀 올 건데."

상사는 못마땅한 듯이 한숨을 푹푹 내쉬며 말했다.

이 말을 끝으로 그 상사는 쓰러졌다. 상사 뒤에 있던 명인이 마취총을 챙겨서 왔던 것이었다. 명인이 상사가 가지고 있던 열쇠로 우리를 꺼내주며 말했다.

"내가 감시하겠다고 하니까 직접 하겠다고 말도 무시하고 가더니. 이거 때문에 그런 거였구나? 조금만 늦었으면 큰일 날뻔했네."

명인이 상사의 주머니에서 너클을 꺼냈다. 만약 명인이 조금만 늦게 왔더라면 내 피가 저 너클에 얼마나 묻었을지 가늠이 가지도 않는다. 아무튼 우리는 마취 당한 상사를 감금실에 넣어둔 채 열쇠로 문을 잠갔다. 그다음에

다 같이 메인 컴퓨터가 있는 지하로 내려가기 시작했다. 중간중간 로봇 경비병들이 서 있기도 했는데 같은 로봇 이라서 의심하지 못하는지 하늘이 직접 전원을 하나하 나 끄며 나아갔고 메인 컴퓨터에 도착했다. 메인 컴퓨터 부근에는 로봇 경비병만 아니라 연구원들도 여럿 있었 다. 나와 명인은 마취총으로 사람들을 재우고 하늘은 로 봇들의 전원을 껐다. 그리고 나와 하늘은 메인 컴퓨터를 건드리며 하늘의 파일을 넣기 시작했고 명인은 마취총 을 입구에 두고 있었다.

그때 뒤에서 펄럭이는 소리가 들렸다. 내가 재빨리 돌 아보니 한 연구원이 몰래 비상 버튼을 누르려 했고 나는 마취총으로 그 연구원을 재웠지만 그가 쓰러지며 손으 로 버튼을 눌렀다. 버튼이 눌리자 건물 전체에 아주 큰 소리가 울려 퍼졌다. 그러고는 추가로 한 문구가 들려왔 다.

"비상. 비상. 메인 컴퓨터 침입자 발생. 일간 둘 및 인 공지능 하나."

저 문구가 몇 번이고 반복되었고 내 머리 바로 위에서 무언가 뛰어다니는 소리가 들리기 시작했다. 문을 파괴

하려는 목적인 것 같았다. 하지만 이 문은 절대로 뚫리지 않는다. 총알이 문에 닿긴 했지만 튕겨 나갔고 문에 흠집 조차 나지 않는다는 게 느껴졌다. 나는 명인에게 이리 오라고 했고 조금 있으면 저 로봇들도 다 돌아갈거라 말했다. 하늘은 내 옆에서 메인 컴퓨터에만 집중하고 있었다. 모니터에는 '90%'라는 문구가 보였다.

그런데 그때 문이 열리기 시작했다. 나는 명인에게 이게 어떻게 된 일인지 물었다.

"저게 왜 열리는 거야?"

"몰라. 난 확실히 닫았어."

우리가 말을 주고받는 동안 문이 완전히 열려버렸고 우리는 책상들과 컴퓨터들 뒤에 숨었다. 하늘은 지금도 메인 컴퓨터에 집중하고 있었고 '94%'라고 띄워져 있었다.

"지금이라도 나오면 살려는 드리겠습니다."

문 쪽에서 어떤 남자의 말소리가 들려왔다. 인공지능의 말이라고 하기에는 말이 자연스럽고 목소리가 부드럽게 들렸다. 그리고 여유가 있었다.

"당신들이 올 거라는 건 이미 알고 있었습니다."

나는 그 남자가 하는 말에 쿵 내려앉은 느낌이 들었다. 거짓일 수도 있었다. 저 남자가 우리를 더욱이 몰아넣기 위해 하는 거짓말일 수도 있었다. 하지만, 저 남자의 말투에서 거짓말이라는 건 전혀 느껴지지 않았다. 오로지 진실만을 말하고 있는 말투였다. 남자의 발소리가 들려왔고 우리 쪽으로 다가오며 말했다.

"당신들이 가지고 있는 그 인공지능. 저희 쪽에서 건드리지 못할 줄 알았나요?"

나는 그 말에 다시 한번 충격을 받았다. 그리고 우리가 간과하지 못한 점이 바로 저 부분인 것을 알아챘다. 나는 이때까지 하늘을 통해 우리의 모든 사실을 도청하고 있으리란 생각을 하 지 못했다. 그때 하늘을 데리고 도망치고 하늘을 개조할 때 그 부분에 대해서 완벽하게 간과하고 있었던 것이었다. 명인도 나를 보며 이 사실에 대해 속삭였다.

"그러고 보니 나보고 너 잡아 오라고 했을 때 어떻게 위치를 찾았는지 몰랐는데, 이거 때문인 거 같네."

명인은 한숨을 쉬었다. 이 사실이 자기 때문이라는 죄책감 때문인 것 같았다.

"어쩔 수 없지. 이렇게 되면 그거밖에 방법이 없을 거 같은데."

"꼭 해야 할까?"

"나도 하기 싫어. 그런데 어쩔 수 없잖아."

어쩔 수 없이 수긍하는 명인의 모습을 뒤로한 채 나는 메인 컴퓨터를 확인했다. '98%'라고 적혀있었고 그때 인공지능 경비원들이 달려오는 소리가 들렸다. 달려오는 소리를 듣는 순간 '99%'가 보였고 나와 명인은 인공지능 경비원들을 향해 달려갔다. 우리가 달려가자, 인공지능 경비원들은 총을 쏘아대기 시작했다. 수백발의 총알이 우리를 향해 날아왔고

모두 빗맞거나 스쳐 지나갔다.

작전을 세우는 도중에 나와 명인은 이런 점도 생각을 해 두고 있었다. 인공지능 경비원들은 사람을 죽일 수 없다. 회사 내에서만큼은. 인공지능이라고 해도 한낱 로봇이다. 그 말은 즉, 코딩된 채로 할 수밖에 없는 로봇일 뿐

이고 인공지능 경비원들은 회사 내의 사람들을 죽일 수 없게 코딩되어 있었다. 만약 지금처럼 침입자가 들어왔다고 가정했을 때 침입자 사살을 목표로 한다면 침입자를 죽이려 할 것이다. 그런데 저 로봇들이 그 상황에 오류가 나지 않을 거라는 보장은 없다. 그러니까 침입자 말고 다른 사람을 사살할 수도 있다는 것이다. 그런 상황을 막기 위해 회사 내에서 인공지능 경비원들은 사람을 사살할 수 없다. 예외가 있다면 회사 내에서 밖으로 도망치는 도망자는 사살할 수 있다. 도망자는 정문을 지키는 인공지능 경비원들이 관리하기 때문에 오류가 나도 근처에 사살할 사람은 도망자밖에 없을 것이다.

아무튼 우리는 인공지능 경비원들에게 달려들어서 하늘을 위해 시간을 벌었고, 그 남자가 당황해하며 직접 우리를 사살하려 인공지능 경비원의 총을 빼앗던 그때 우리와 실랑이를 벌이던 인공지능 경비원들이 우리를 막지 않는 게 보였다. 그것을 알아채고 내가 인공지능 경비원에게 마취총을 건네자, 인공지능 경비원은 곧바로 남자에게 마취총을 쏘았다. 총으로 우리를 겨누고 있던 남자는 마취총을 맞고 곧바로 쓰러졌다. 곧이어 다른 인공지능들도 입구에 준비해 두었던 마취총을 집어 들었고,

남자와 메인 컴퓨터를 관리하는 연구원들을 포함해서 다른 사람들을 업고 밖으로 나가기 시작했다. 밖에서는 사이렌 소리도 들리고 있었고, 이제야 다 끝났나 싶어서 땅에 주저앉았다.

"힘들다….

"나 총에 맞는 줄 알았다고….

명인이 옆에서 말했다. 하긴 그런 시스템을 알아도 총알이 우리 몸 바로 옆으로 지나가는데 무섭지 않은 게 이상하다. 나는 수고했다는 의미로 명인에게 악수를 청했고 명인은 그 악수를 받아주었다. 하늘도 자기 임무를 마치고 우리에게 다가와 손을 건넸다. 나와 명인은 그 손을 잡고 일어나 갈 채비를 했다.

그때 우리 밑에서 커다란 폭발음이 들렸다. 우리는 흔들리는 바닥에서 겨우 균형을 잡으며 버티고 있었다. 그때 바닥을 보니 갈라지고 있는 게 보였고 나와 명인 그리고 하늘은 문을 향해 달려갔다. 내가 여길 처음 탈출했을 때보다 더 필사적으로 달렸다. 하지만, 바닥이 갈라지는 속도는 우리를 따라잡기엔 충분했고, 우리 바로 뒤까지 바닥이 무너져 내렸다. 우리는 끝까지 앞만 보고 달렸다.

그렇게 정문이 보였고 무너져 내리는 바닥을 뒤로한 채 정문을 빠져나오려 달리고 있었는데 뒤에서 이상한 소리가 났다. 뒤를 돌아보니 하늘의 상태가 이상했다. 팔한쪽은 뜯어져 있었고, 다리의 연골 부분도 부서져 있었다. 하늘은 내 얼굴을 보며 웃고 있었고, 나는 하늘이 걱정된 나머지 하늘의 뒤로 가 하늘을 밀어주기 시작했다. 하늘은 밀어주는 나를 보며 말했다.

"버리고 가세요."

하늘은 무척이나 담담하게 말했다.

그런 말을 하는 하늘을 무시한 채 나는 힘껏 하늘을 밀었다. 명인이 먼저 정문을 통과했고, 그다음으로 나와 하늘이 통과하려 하는데 우리 발밑의 바닥이 무너져 내리며 그대로 추락하고 있었다. 그때 명인이 나와 하늘의 손을 잡았다. 다행히 명인이 있는 바닥은 무너지지 않았고 나와 하늘이 있는 곳까지만 무너져 내렸다. 명인이 밖에 있는 경찰들에게 소리쳐 나와 하늘을 끌어올리려 하였고, 경찰의 손을 잡고서 발을 부서진 바닥의 면에 대고 박차자, 지상 위로 올라올 수 있었다. 나는 올라온 후에 곧바로 하늘의 손을 잡아 끌어올리려 하였지만, 하늘의 남 은 한쪽 팔이 뜯어지려고 하는 게 보였다. 나는 그 점을 눈치채고 어깨를 잡아 끌어올리려 하였다. 내가 최선을 다해 하늘을 끌어올리고 있는데, 하늘이 말을 걸었다.

"놓으세요."

나는 그런 하늘의 말을 무시한 채 그녀를 당기고 있었다. 하지만, 하늘의 무게 때문인지 어깨가 부숴질 것만 같았다. 나는 하늘에게 말했다.

"발로 박차고 올라와!"

그러자 하늘이 말했다.

다리 양쪽이 전부 파손되었습니다."

하늘의 말에 하늘의 말에 그녀의 다리를 보자 있어야 할 그것이 존재하지 않았다. 잠깐 추락하며 부서진 모양이었다. 나는 계속해서 최선을 다하고 있었고 경찰들과 명인도 하늘을 잡아주려 손을 뻗었지만 닿지 않았다. 오로지 내 팔만이 하늘의 몸을 지탱해 주고 있었다. 그때 하늘의 목소리가 서글프게 들려왔다.

"선생님."

"제가 선생님의 조수로서 개조되었던 건."

"정말 큰 행운이었습니다."

나는 그렇게 말하는 하늘을 잡아당기며 눈물을 흘리기 시작햇다. 내 힘은 서서히 빠지고 있었고 나도 하늘과 함께 빨려 들어갈 것 같다. 내 몸이 휘청거리자 다른 사람들이 내 몸을 잡으며 지탱해주었다. 팔이 달랑달랑 흔들리며 하늘을 바라보았다. 이미 깊게 결심한 듯한 그 표정때문에 눈물이 그녀의 얼굴에 떨어졌다.

하늘이 다시 입을 열었다.

"만약 다시 만들어지게 된다면."

하늘의 호흡이 어지럽혀지다 머지않아 침묵한다. 그리고는 입을 열어 말한다. 마치 다짐한 듯.

"악기점에서 선생님을 만나 뵙고 싶습니다."

하늘이 내 얼굴을 올려다 보았다. 하늘은 눈물을 흘리고 있었다.

"감사하."

오른팔이 무척이나 가볍다. 너무나 이질적일 정도로.

하늘의 말이 채 끝나기도 전에 하늘의 남은 한쪽 팔 마저 뜯어지며 하늘의 몸통이 저 바닥으로 추락하고 있었다. 나는 추락하는 그 모습을 보며 아무 말도 하지 못했다. 하늘의 추락이 충격이었는지, 아니면 너무 슬퍼서인지, 아니면 지키지 못한 자신에게 화가 났기 때문일지도 모르겠다. 하지만 나는 하늘을 잃었다. 절대 잃지 않기로 다짐했건만. 그녀를 지키지 못했다. 나는 몸을 파르르 떨며 몸을 움츠리고 울고있었다. 몇번이나 하늘의 이름을 부르며. 경찰도, 명인도 아무 말 하지 않고 가만히 있었다. 나는 머지않아 울다 지쳐 쓰러졌다. 내가 깨어났을 때는 이미 차를 타고 돌아가는 길이었다. 아까 왔을 때와 똑 같은 길이었다. 이제는 해가 뜨고 있었고, 나는 내 옆자리에 무거운 공백을 느끼고 있었다. 아직까지도 있는 듯 나는 옆자리를 살펴봤다. 그곳은 텅 비었다. 하늘의 빈자리가 너무나 크게 느껴졌다. 하늘과 함께 운영했던 악기점과 그녀에게 도움받은 사람들을 생각하니 다시금 눈물이 새어나왔다. 나는 차에 두었던 휴대전화를 꺼내어 전날 찍어두었던 하늘의 영상을 보기 시작했다.

영상 속 하늘은 기타 연주에 몰입한 듯 눈을 감으며 기타를 연주하고 있었고, 그런 하늘의 연 주는 지금 나에게 하늘의 빈자리를 메워주는 연주였다. 마치 내 옆자리에 하늘이 타고 있는 것처럼, 나에게 수고했다고 말해주는 것처럼, 돌아가서 다시 악기점 열심히 해보자고 말해주는 것처럼, 연주되고 있는 음표 하나하나가 하늘의 빈자리를 하나씩 메워주고 있었다. 나는 그런 영상을 계속해서 돌려보았고, 다시 잠에 들었다.

마치 다시는 깨어나지 않을 긴 잠에 빠진듯이.

아주 깊은 공허의 구렁텅이 속으로.

EPILOGUE

이 개월 후, 악기점의 노트북으로 배경 음악을 고르고 있었는데 굉장히 흥미로운 기사가 하나 보였다. 기사 제목에서 익숙한 회사명이 보였다. 기사 내용에서는 회사에서 근무했던 사람 들의 증언을 바탕으로 회사 간부들과 상사들의 재판을 시행했고, 전원 무기징역을 받았다는 기사 내용과 증인으로는 나와 명인 그리고 그 당시 출동했던 경찰들이 출석했다는 내용이 적혀 있었다. 그리고 갑자기 일어난 폭발에 경찰은 그 원인을 찾기 위해 회사 주변을 샅샅이 파 헤쳤으나, 결국은 찾지 못했다. 사람들은 회사 간부 중 한 명이 증거 인멸과 최후의 발악을 목적으로 시행한 것이라고 추측하고 있지만, 어디까지나 추측일 뿐, 정확한 답은 아니었다. 나도 폭발을 주도한 범인을 찾으려 노력은 해보았으나, 폭발 현장에서 폭발을 주도한 사람도 함께 폭발에 휩싸인 것 같았다. 또한 정부와 경찰은 회사의 하위 시설들을 조사했다. 하위 시설을 조사하자 이 회사의 목적은 쿠데타를 위한 인공지능 로봇 대량 생산이 목적이었던 것으로 밝혀졌다. 이 사실에 관해서 그때 인공지능 경비원들이 데리고 나온 사람들과 관련이 있는 의심되는 사람을 찾아내었고, 그 사람은 이번 국회의원 선거 후보자였다. 후보자는 다른 간부와 상사들과 같이 무기징역을 선고받았다. 지금 와서 생각해 보면 참 단순한 동기인 것 같다.

그때 방울 소리가 들렸다.

짤랑

"어서 오세요."

"아저씨 안녕하세요."

명인과 연이 함께 걸어들어왔다. 연의 모습을 보니 이제는 완치한 듯 보였다. 연이 가게를 둘러볼 동안 나는 계산대에서 명인과 대화를 나누었다.

"요즘엔 좀 어떠냐."

"다 만들긴 했지. 그런데 아직 빈 게 많아."

"하긴, 너랑 같이 있었던 세월이 얼마였는데. 그 정도를 이 개월 만에 한다는 건 거의 불가 능이지. 하다못해 어디 백업이라도 해놨으면 편했을 텐데….”

나는 명인의 말에서 잊어버린 물건을 기억해 냈다.

“야 명인아. 우리 그때 타고 갔던 차 어디 있냐?”

“그거? 그거 우리 집 추자장에 있지 근데 그건…”

명인도 이제서야 깨달은 듯 보였다.

“연아, 잠시만 여기 있어. 아저씨랑 아빠랑 어디 좀 다녀올게.”

나는 가게 문에 달린 ‘OPEN’을 ‘CLOSE’롤 바꾼 뒤에 명인과 함께 명인의 집으로 달리기 시작했다.

"넌 누구야?"

"저는 선생님의 인공지능 로봇 도우미 하늘입니다. 선생님을 돕기 위해 만들어진 존재로서 최선을 다하겠습니다."

하늘은 울며 말한다. 하지만 싱긋 미소를 짓는다.

"보고 싶었습니다. 선생님."

나와 하늘 둘 다 눈물을 흘리고 있었다.

-The end-

고독의 숲

달이 저물고 태양이 뜨기까지 시간이 걸린다. 그리고 그 시간 사이에는 무언가 되살아나 움직이기 시작한다. 그건 인간이 아닌 생물. 오히려 영혼으로 구성된 사념체의 무언가 라고 하는게 옳을 것이다. 쉽게 말해 유령. 우리는 달과 태양 사이에서 태어나는 영혼의 불순물, 영혼에서 떨어져 나온 유령이다.

딱히 되살아나지 않아도 괜찮지만 달이 나를 강제로 일으켜 세우는 바람에 이렇게 되어버렸다. 물론 썩 나쁘다는 건 아니다. 다만 이제 무엇을 해야 하는지 고민을 해야 하는게 문제였다. 나는 딱히 하고싶은 것도 하기 싫은 것도 없었다. 그저 주면 하고 안주면 안 했다.

앞으로 남은 시간은 하루, 다만 인간을 기준으로는 5시간 밖에 안된다. 나는 죽기위해 유령으로써 하루를 보내야한다. 솔직히 말해 우습다. 단 몇시간 전에만 해도 나는 인간이었건만. 조금 쓸쓸하기도 했다. 나는 혀를 차며 과거의 위치로 이동하며 추억을 되새기러 갔다.

나는 어느 바다에 도착했다. 은은한 보라 빛이 감도는 하늘과 함께 수평선 끝까지 바라봤다. 평소보다 더 느리게 파도가 부서졌고 물이 흘러 들어왔다. 조용하게 물이 부딪히는 소리만 들리니까 정말 적적하고 외로웠다. 그리고 그 무엇보다 너무나 추웠다. 반팔만 입고 설산을 달려가는 기분이라면 정확하겠다. 나는 거기서 한참이나 추억을 곱씹었다.

바다와의 추억은 어느 소녀와 함께했던 기억이었다. 그때는 밤바다였다. 나는 기타를 들고 왔고 소녀는 카혼을 들고 와서 바닷소리와 함께 즉흥으로 연주했다. 연주의 퀄리티는 썩 좋지는 않았지만 그것 나름대로 즐거운 기억이라 할 수 있겠다. 너는 지금쯤 잘 살고 있을 까. 아마 너도 나처럼 유령이 되어버렸겠지.

그 소녀의 이름은 사요코다. 내가 처음으로 사랑했던 사람이었고 지금은 헤어진 소녀다. 사요코는 바다를 되게 좋아했다. 도쿄에서 살던 아이라서 나와 만나면 무조건 바다로 향했다. 나는 오키나와에 살아서 바다라면 정말 너무나 많이 가본 흔한 장소였다. 특히 2월초의 모습은 아주 질리도록 바라봤다. 새하얀 모래 알갱이와 구름이 드문드문 뿌려진 하늘, 에메랄드가 잔뜩 가라앉은 듯한 바다. 그리고 산뜻하게 몰려오며 봄의 시작을 알리는 바람까지. 아마 여행 관광사보다 내가 오키나와를 더 잘 알 거다. 아, 이건 당연한 가.

사요코와 함께했던 추억을 잠시 곱씹으면 참으로 달달한 맛이 새어 나온다. 그녀는 특히 나와 음악취향이 비슷했다. 어쿠스틱 악기를 좋아했고 특히나 컨트리 음악을 되게 좋아했다. 처음 만난 것도 내가 해변에서 연주하고 있을 때 그녀가 찾아와서 좋다고 했던 게 첫 만남이니 어쩌면 우리는 음악으로써 이어진 것이었다. 이따금 너의 기억을 되새기면 참으로 음악에게 감사하다고 전했다.

　그런 너는 어느덧 음악에서 멀어지더니 음악을 즐기지 않게 되어버렸다. 나는 그게 너무나 슬퍼서 조금 눈물도 나왔다. 나는 아직도 너가 왜 음악을 포기했는지 왜 즐기지 않게 되어 버렸는지 묻고 싶었다. 그러나 너가 어디 있는지 조차 몰라서 나는 한걸음 뒤로 물러나며 포기하는 수 밖에 없었다.

　그러나 거짓말 같이 너는 내가 있는 해변에 찾아왔다. 그건 단순한 우연이 아니었다. 너의 손에는 어쿠스틱 기타가 존재했으니까. 나는 너의 모습에 입을 다물 수 없었다. 예전 과거의 기억보다 더욱 아름답게 빛나고 있었으니까. 너는 내게 기타를 내밀었고 황급히 근처에서 카혼을 들고 왔다. 나는 당연히 기타를 붙잡았고 잠시 모래밭에 앉아 연주했다. 너는 카혼을 연주했다. 우리는 말없이 예전에 연주하던 컨트리 곡들을 차례차례 연주하기 시작했다. 고요하게 침전된 세상 사이에서 올곧은 소리의 선이 사방팔방으로 찌르며 나아갔다.

나는 2년간 기타를 안 잡아서 썩 좋은 연주는 보여주지 못했다. 그러나 너는 아주 완벽하게 연주를 해낸다. 나는 그제서야 너에게 물을 수 있었다.

"너, 음악을 포기한 거 아니었어?"

소녀는 싱긋 웃으며 대답한다.

"글쎄, 손에서 잘 안 놓아지더라. 그런데 되게 오랜만이다."

"그러게, 오랜만이야."

우리는 그때부터 근황을 물으면서 대화했다. 너는 내게 아직도 사랑하냐며 물어왔고 나는 당연하다고 대답했다.

"웃긴 이야기네. 근대 나도 너를 계속 좋아하나 봐. 서로 떨어지고 나서 계속 네 생각 밖에 안 들어."

소녀는 약간 슬픈 미소로 아하하 웃더니 계속해서 말한다.

"우리가 이렇게 대화한다고 해서 진짜 우리가 만날까?"

"그건 나도 모르겠어. 하지만 분명 다시 만날 거야."

우리는 잠시 침묵이 오갔다. 파도가 부딪히며 부서지는 소리는 너무 커서 귀가 찢어질 것 같았다. 시간은 정지한 듯했고 우리는 침묵 사이에서 눈을 마주보며 입술을 포갰다. 그제서야 내 몸은 조금 추위에서 멀어지고 온기가 떠올랐다. 포근포근한 방울이 내 몸에 닿아서 따스한 열기가 도는 감각이었다. 우리는 10분정도 입을 맞추다가 서로 때어냈다.

"역시 우리는 사랑하나 봐."

너는 쿡쿡 웃으며 뒷짐을 지고 말한다.

나도 대답한다.

"그러니까."

우리는 한참이나 딱 달라붙어서 마지막 바다를 감상

했다. 보라 빛 하늘에서 반짝이는 푸른 별들 때문에 지금 내가 사는 세계가 아닌 꿈속 세계와 같다고 느껴졌다. 사요코는 이만 먼저 가보겠다며 자리에서 일어났다. 아쉬운 마음이었지만 그녀의 마음을 알았으니 미련은 없었다. 나는 손을 흔들어주며 사요코를 보내주었고 나도 다음 장소로 향했다.

지금의 나는 내가 걸어가던 국내 여행의 길거리를 차례대로 걷고 있다. 세상의 규칙에서 벗어난 존재라서 순간이동을 하면 그만이었지만 나의 삶은 그렇게 단편적으로 움직인다 해서 볼 수 있는 게 아니었다. 물론 다른 사람들도 마찬가지겠지. 인간의 삶이란 연속된 사진의 나열이겠지만 그 흐름 속 이야기가 진정으로 자신의 삶을 가치 있게 만들어준다고 생각한다. 그렇기에 나는 남은 시간동안 잠시 여행을 하기로 결정했다.

행선지는 교토였다. 나는 이 시간에 등장하는 유령 익스프레스라는 열차를 탑승하고 교토로 향했다. 바깥의 풍경은 실로 놀라웠다. 진짜 '나'는 절대 못 본다는 생각에 조금 불쌍하다고 느껴졌다. 하늘은 우주 같은 보라색으로 칠해져 있고 여러 대차색의 별들은 은하수를 이루었으며 거대한 행성마저 보였다. 특히 제일 아름다운 건

저 수많은 별들이 한꺼번에 별똥별이 되는 광경이었다. 그 모습은 이차원에서 바라본 불꽃놀이 같았고 유성군과 비슷했다. 쉴 새 없이 떨어지는 별똥별을 바라보며 잠시나마 소원을 빌었다. 물론 이루어지지는 않겠지만.

열차에는 나 밖에 없었다. 다들 순간이동으로 움직이는 건가. 내가 고민에 빠져 있을 때 기관사가 나와서 말을 걸었다. 기관사의 모습은 조금 늙어버린 모습이었다. 머리카락의 구역들이 새하얗게 물들었고 키는 어렴풋이 176은 되어 보였다. 피부는 조금 그을려져 있었다.

"오늘은 장사가 좀 되네요. 이렇게 탑승객이 있고."

내가 말했다. "평소에는 잘 없습니까?"

하하, 저도 하루밖에 못사는 생명인지라 사실은 잘 모릅니다."

기관사는 호탕하게 웃으며 말했다. 나도 그 모습에 웃음이 새어 나와 키득거렸다.

"뭐가 되었든 당신 같은 사람을 위해 존재하는 열차와 기관사니 뭐 그럭저럭 된 거 아니겠수?"

나는 기관사의 말에 그렇소이다 라며 대답했다.

"그런데 열차를 조종하지 않아도 괜찮습니까? 사고라도 나면 유령이라도 좋게 못 가겠는데요."

"괜찮습니다. 이 열차는 제가 운행하지 않아도 알아서 움직이거든요. 분명 열차의 영혼이 움직이게 하는 거겠죠."

나는 고개를 끄덕거리며 그렇구나 받아들였다. 기관사의 말 대로 열차는 알아서 완벽한 주행을 하고 있었다. 나는 신기함을 느끼며 계속해서 기관사와 대화를 나눴다.

"살짝 신기한 기분입니다. 분명 오늘 깨어났는데 이런 열차의 존재를 알고 있다니."

"저희 같은 유령도 결국 기억이 흐릿하게 남아서 유지가 되거든요. 그리고 그건 다음 유령에게 이어지고요. 이 기억들은 전 사람들의 것이겠죠."

"기관사씨도 그런 이유에서 이 열차를 운행하는 건가요?"

"저도 뭐 그렇습니다. 기관사라면 열차를 운행해야 하고요. 타이타닉 호에 함장 같은 존재와 비슷한 겁니다.

배를 버리는 선장이 없듯 열차를 버리는 기관사는 없죠."

그는 다시금 호탕하게 웃으며 말했다.

"혹시 괜찮으시면 술이라도 한잔 드시죠?"

"술이 있습니까?"

주위를 둘러보아도 술은 보이지 않았다. 그렇다고 술이 있을 듯한 저장고도 보이지 않았다. 기관사는 기관실로 들어가 열차를 조금 조종하더니 금새 휙 방향을 꺾어 어딘가로 향했다. 속도는 미친듯이 빨라져서 가슴에 중력이 느껴질 정도였다. 짓뭉개지는 감각은 10초 정도가 지나서 서서히 끝나버렸다. 기관사는 생글생글 웃으며 밖으로 나와 말했다.

"도착했습니다. 유령주점에 말이죠. 술이라도 좀 챙겨 갑시다!"

"좋습니다."

우리는 잠시 열차에서 내려 유령주점에 들어갔다. 간판이나 이름은 딱히 없었고 건물은 조금 낡아 보였다. 나무로 되어있는 문을 끼릭 돌리며 열자 그곳에는 암흑처럼 캄캄했다. 우리가 그곳에 발을 들이자 곧바로 양초에는 푸른 불꽃이 일렁이더니 환하게 밝아졌다. 그리고 주점에 주인 같은 사람이 말의 서두를 열었다.

"어서 오세요."

기관사와 마스터는 서로 알고 있는 사이였는지 만나서 가볍게 악수를 하며 웃고 있었다. 주인장도 확실히 머리카락이 흰색과 검은색이 뒤섞인 그런 색깔이었고 피부가 조금 까맸다. 둘은 또 본다며 지금의 상황이 익숙한 듯 행동했다.

"오늘도 럼 하나 정도 사고 싶은데 있나."

"그렇게 술 많이 마시면 오래 못산다."

"어차피 사라질 몸이야. 한잔해."

"허."

마스터는 컵을 극세사 천으로 닦으며 말했다. 컵을 다 닦자 바카디라 적힌 술을 꺼내어 기관사의 품에 휙 던졌다. 기관사는 방긋 웃으며 잠시 자리에 앉아 병을 열고 잘 닦인 글라스에 투명한 술을 따랐다. 왼손으로 내게 앉으라며 손짓했다. 주인장은 이 상황이 익숙했는지 관자놀이를 조금 누르더니 말을 땠다.

"오늘 만난 사람이야?"

"오늘 만났지, 열차에서."

나를 열차에서 만났다 하자 주인장은 화들짝 놀라며 말했다.

"요즘도 그 열차를 타는 젊은이가 있어?"

기관사는 크게 웃으며 말했다.

"그러니까 말이야. 참 마음에 들어."

그러더니 꿀꺽, 40도는 족 되어 보이는 럼주가 가득 찬 잔을 한번에 들이마셨다. 예전에 양주를 마셔본 나에게 저게 얼마나 힘든 행동인지 알고 있었다. 그것도 원 샷을 하기위해 만들어진 잔이 아닌 천천히 즐기기 위한 잔으로 말이다. 그는 다시금 활짝 웃으며 맛이 좋다고 말했다. 그런 기관사를 주인장은 못마땅한 눈으로 바라봤다.

"너는 저런 사람이 절대 되면 안된다. 알았지?"

나는 고개를 끄덕이며 알겠다 대답했다. 저런 말을 하는 주인장이었지만 나름 친구로서 애정이 있는지 못마땅한 표정과 함께 입꼬리가 살짝 올라가 있었다.

"너는 어쩌다 열차에 타게 됐니?"

"아, 교토에 가려고 잠시 탔어요."

"교토 좋지. 여자친구랑 가본적 있어?"

"아뇨, 여자친구랑 헤어지고 갔어요."

주인장은 조금 쓸쓸한 표정을 짓더니 내게 물어왔다.

"새로운 여자를 사귀려고 간거야?"

나는 아니라고 답했고 마음에 들었는지 싱긋 미소를 지어 보였다. 그러더니 "마음이 외로울 때 여자를 만나선 안돼. 정말 사랑하는지, 진짜로 필요한 사랑인지 알 방법이 없거든. 외로움이란 그런 거야." 라고 말하고 다시금 쓸쓸한 표정을 지어 보였다.

"그런 썩은 표정 짓지 말고 좀 마셔. 자자 우리 어린 친구도 한잔 하자고.

기관사는 내게 럼을 건네며 말했다.

"아, 저는 사케가 좋아서."

나는 거절하였지만 주인장이 선뜻 고급 사케를 내어
주었다. 사케는 따뜻하게 잘 데워져 있었다. 비릿하지 않
을까 생각했지만 오히려 내 몸을 기분 좋게끔 따뜻하게
만들어줬다. 딱히 안주는 없었지만 따끈따끈한 감각과
모두가 웃고 있는 이 시간덕에 마음에 여유가 생겼다. 나
는 그제서야 말을 때고 대화를 하기 시작했다.

"마스터는 왜 안 마셔요?"

"술을 그렇게 좋아하지는 않거든. 그리 좋은 기억도
없고."

나는 그렇구나 라는 뜻이 담긴 고개를 끄덕거렸다. 그
때 기관사가 옆에서 조용히 말했다.

"저 녀석. 자기 연인이 술 먹고 목숨을 스스로 끊었어.
항우울제랑 술을 같이 먹고 말이야. 그러다가 새로운 여
자를 찾아서 만났지만 안 좋은 일 밖에 우수수 일어났지."

나는 그제서야 왜 외로울 때 여자를 만나지 말라 했는
지 깨달았다. 나는 알겠소이다. 라며고개를 끄덕였고 사
케를 다시 한잔 들이켰다. 그렇게 한참이나 침묵에 잠긴
시간이 지나고 나는 사케를 다 마셨다. 기관사는 첫 잔을

원 샷하고 그 뒤로는 조금씩 마셔 절반 정도 남았었다.

"참 아이러니 하지? 자기 여자친구가 술로 인해서 죽었는데 아직도 술과 관련된 일을 한 다니."

나는 아니라고 고개를 저었다.

"술이 참 미운데 걔가 마시던 브랜디를 생각하면 참, 뭐라 말하기가 어렵네. 아무래도 애증인가 봐. 내 여자를 죽인 브랜디가 좋든 싫든 언제나 기억에 남는 걸 보면. 아무튼 너는 술 많이 마시지 마. 몸에 나쁘니까."

"알겠어요."

"이건 서비스야. 돌아가면서 마셔."

내 품에 툭, 비싼 과일음료를 던져 넣었다. 나는 고맙다고 말하며 뒤로 돌아섰는데 주인장이 내 어깨를 붙잡았다. 나는 의아해하며 왜요? 라고 물었고 주인장은 대답했다.

"너, 여자친구랑 다시 만날 거야?"

"운명이 다시 겹치게끔 무조건 만나겠어요."

"외로움을 느끼지 않게끔 잘 대해줘라." 그러더니 내

손에 푸른 별보석을 주었다. 이게 무엇이냐고 물었고 주인장은 "만남을 이루어 주는 부적이야."라며 이제 가보라고 손짓했다. 나는 고마워요 라고 대답하고 가게를 빠져나왔다.

열차에 다시 탑승한 나는 어디로 갈지 고민하다가 그냥 내 집으로 돌아가기로 결정했다. 이제 교토나 여행은 딱히 의미가 없으니까. 기관사는 내게 말을 걸어왔다. 저 주인장이 안 궁금하냐고. 나는 궁금하다고 대답했지만 딱히 듣고 싶지는 않다고 했다. 그는 알았다며 너는 이제 어디로 향하냐 물었다.

"저는 집으로 돌아갑니다." 라고 대답했다.

그는 상당히 놀라는 눈치였다.

"너, 교토로 가는 거 아니야?"

"교토로 가도 딱히 의미는 못 찾겠어요. 그냥 제가 사라지기 전까지 저를 바라보려고요."

"나르시스트? 아니면 그냥 시간을 그냥 허비하는 쪽?"

"굳이 따지자면 후지겠네요."

나는 웃으며 말했다.

"그 시간동안 깨닫는게 있겠지. 의미없이 보내는 시간이란 없으니까."

나는 고개를 끄덕거렸고 집으로 향했다. 그러는 동안 잠시 생각에 빠졌다. 나는 여태까지 어떻게 살아왔더라. 딱히 의미 있는 삶은 아니었다. 평범하게 학교를 다녔고 평범하게 공부만 했으며 평범하게 도쿄로 상경했다. 여자친구를 만났다 헤어졌으며 그렇게 다시 살다가 잠시나마 고향에 내려와서 살았다. 그 사이에 여행도 했다. 그러나 딱히 삶의 의미라는 걸 찾을 수 없었다. 그냥 살았고 앞으로도 그럴 것이다. 분명 틀림없이.

허나 유령이 되고서야 조금이나마 알았다. 내가 무엇을 원했는지 이 오랜 세월간 고독에 휩싸여 살았으며 고독에서 벗어나기 위해 움직였다. 대부분의 시간을 인간과 함께 보내지 못했으니 어떻게 든 새로운 인연을 만들기 위해 움직인 것도 전부 같은 이유다. 도쿄로 상경한 것도, 여행을 한 것도, 하물며 다시 고향에 내려온 것마저 고독을 벗어나기 위함이다. 나는 그것을 깨닫자 사요코, 너가 너무나 그리웠다.

나는 흘러나오는 눈물을 닦아내며 창밖을 바라봤다. 저 멀리 보이는 바다와 보라 하늘. 이제 앞으로 2시간 뒤면 해가 떠오른다. 나는 사라지고 내가 일어난다. 나는 마음을 다잡으며 내가 자는 모습을 바라보러 향했다.

열차는 어느덧 2층에 있는 내방 창문에서 멈췄으며 나는 자리에서 일어났다. 기관사는 나를 부르더니 내 손에 무언가를 쥐어 줬다. 그건 어디에나 있는 흔한 열쇠였지만 기관사는 덧붙여 말했다. 이건 나와 너의 우정의 증표라고. 나는 감사합니다 라며 허리를 숙여 인사했고 기관사와 떨어졌다.

"잘 지내쇼!" 기관사는 창문 밖으로 손을 내밀며 멀어져갔다.

창문을 열고 커튼을 살짝 치워 창가에 앉는다. 바람이 불어왔고 커튼은 하늘하늘 흔들렸다. 하늘에서는 해가 점점 떠올랐고 나는 곧 사라질 운명이었다. 달의 황혼이, 내가 남아있는 시간이 점차 사라진다.

내가 바라본 나의 모습은 너무나 신기했다. 솔직히 말하면 죽은 게 아닐까 싶을 정도로 너무나 고요하게 잠들어 있는 모습이었다. 아주 편하게 자고 있어.

　나는 지금의 유령이 되어서야, 내가 죽기 전에서야 내 삶의 의미를 알아버렸다. 나는 고독을 피하기 위해 움직였구나. 너와 함께한 시간이 내 삶의 가치이자 의미라는 걸 이제서야 알았다. 여러 생각이 교차하면서 눈물이 흘러나왔다.

　이제 곧 하늘의 태양이 떠오르며 달의 황혼이 만들어낸 보라 빛이 사라져갔다. 나는 펜을 들고 종이에 글자를 적었다.

　그러면서 점점 내 몸이 연기가 되어 사라지는 게 느껴졌다.

탈칵

어디선가 물건이 떨어지는 소리가 들려왔다. 철문같
이 무거운 몸을 일으켜 세우고 주위를 둘러봤다. 커튼은
기분 좋게 흔들리고 있었고 창문은 열려 있었다. 태양빛
은 갈라져서 두 곳에 비쳐졌다. 그곳은 바닥, 그것도 중
앙에 떨어진 펜과 음료가 있었고 다른 곳에는 아주 자그
마한 메모와 푸른 보석, 작은 열쇠가 존재했다.

그리고 메모에는

사요코를 만나.

외롭지 않게 같이 있어줘.

라고 적혀있었다.

흐릿하고 희미한

금붕어

이따금 여름이라는 시간이 되면 바다에 가고 싶어진다. 딱히 바다를 좋아하는 건 아니었지만 무더위를 이겨내기 위해서라면 바다가 최고라고 할 수 있었다. 수영복을 입고 나무 사이에 걸린 해먹에 누워 트로피컬 칵테일을 마신다는 건 정말 상상만으로 즐거운 일이니까. 물론 집에서 에어컨을 틀고 차가운 공기를 순환시키는 것도 나름대로 괜찮겠지만 나로서는 효율보다는 오히려 감성이 더 중요했다. 그리고 더욱 즐거운 추억을 만드는 게 좋으니까.

사실은 에어컨을 틀 전기세조차 내게는 사치였기에 틀 수도 없었다. 내게 유일하게 존재하는 어디 작은 브랜드에 선풍기 하나에 의존하여 나는 찬함이나 열기를 식혀야 했다. 그때마다 전방향으로 밀려오는 뜨겁게 달궈진 공기가 코를 통해 들어오자 토가 올라올 듯한 기분이었다. 속이 메스껍고 불쾌했다. 저 멀리 있는 프랑스는 지중해성 기후 때문에 썩 불쾌하지 않은 더위라 하는데 과연 어떨지 궁금하다. 그런 궁금증은 언제나 꼬리를 물며 머리를 헤집어 놓기 일쑤였다.

선풍기의 머리를 아래쪽으로 내리고 각도에 맞춰 땅바닥에 드러눕느다. 모터소리를 부산스럽게 들려주는 선풍기는 나름 자신의 역할을 톡톡히 수행하고 있었다. 선풍기를 맞는 부분은 그리 덥지도 않았으며 불필요하게 추위를 끌고 오지도 않았다. 다만 머리를 제외하고 다른 부위, 몸이나 팔, 다리에는 땀으로 흠뻑 젖어서는 눅눅하고 축축한 기분이었다. 왼손으로 왼쪽 허벅지를 어루만지자 정말 물에 빠진 고양이 같았다. 나는 경악하며 황급히 근처 옷을 잡아 몸을 이리저리 닦았다. 끈적하게 쩍쩍 달라붙는 소리도 무시하며 슥슥 닦아내자 조금이나마 괜찮아진 듯했다. 허나 그것도 아주 조금의 시간이었을 뿐 쓸데없이 몸을 움직인 터라 몸에서는 다시금 비가 내리듯 땀이 흘러내렸다. 나는 포기하고 제 분에 지쳐 그 자리에서 긴 잠에 빠졌다.

꿈에서는 무언가 세상이 일그러져 보였다. 물이 담긴 유리를 통해 세상을 바라보는 감각이라 해야 할 까. 아무튼 그런 시야 속에서 나는 아주 시원한 감각을 느꼈다. 마치 물속에 있는 듯한 기분. 그러나 나는 움직이는 방법을 알지 못해 가만히 멀뚱거리며 바깥을 보는 것 말고는 아무것도 못했다. 그러다가 다시금 정신이 들어 꿈에서 깨어난다.

참으로 기이한 꿈이었다. 손과 발이 사라지고 물속에 풍덩 빠진 꿈이라니. 말로 풀어서 설명하면 소름이 끼치는 꿈이다. 딱히 다시 꾸고 싶다 거나 꾸기 싫다 거나 그런 건 없다. 몸을 일으키려 하자 찌이직 하며 쩍쩍 달라붙은 바닥이 소리를 냈다. 몸을 확 떼어내 버리고 곧바로 샤워실에 들어갔다.

아무리 더워도 차가운 물로는 샤워를 하지 않는다. 몸이 얼음장같이 차가워져서 정말 죽음이 코앞까지 다가오는 기분이어서 그렇다. 그 누가 죽음이 눈앞에 보이는 지경을 좋아하겠는 가. 샤워기에서는 따뜻한 온수가 나왔다. 슬러지 덩어리 같은 땀들이 어느새 촉촉한 물에 휩쓸려 내려갔다. 그제서야 나는 상쾌함을 느끼고 내 몸이 해방된 감각을 느꼈다. 어느정도 몸에서 땀을 씻겨 내리고 몸을 닦고 나는 다시 바닥에 누웠다. 딱히 여름이라고 무언가를 하지는 않으니까.

생각해보니 오늘 금붕어 밥을 줬던가. 희미한 기억속에 금붕어 밥을 준 기억은 없었다. 나는 사료를 챙기고 원형 수족관에 정량을 뿌렸다. 금붕어는 바보 같은 표정으로 나를 쭈욱 응시했다. 그 모습이 귀여워서 나도 지그시 바라봤다. 한참이나 오래 바라봐서 그런 가 살짝 눈이 아팠다. 나는 눈을 비비며 다시 방으로 돌아갔다. 털썩 주저앉아 이제 뭘 해야 할까 고민에 빠졌다. 연락할 친구는 여행을 가버렸고 부모님도 여행을 가버리셔서 본가에 내려갈 수도 없다. 차라리 내가 금붕어가 되면 어떨까 라는 생각에도 잠시 빠지기도 했다. 아무리 그래도 금붕어가 되는 건 너무 손해였다. 손과 발 없이 지느러미로 살아가는 건 너무나 끔찍했으니까.

따분한 마음에 바깥으로 나왔다. 태양은 드문드문 지고 있었지만 시원한 감각은 하나도 없었고 오히려 공기가 더욱 뜨거운 느낌이었다. 나는 주머니에 손을 푹 집어넣고 동네를 걸어 다녔다. 요즘 여름 축제를 한다고 떠들썩한데 나도 가봐야 하나 싶었다. 딱히 할 일도 없는 한량이었기에 나는 축제라도 참가하러 근처 생태공원으로 향했다.

그곳에는 사람들이 옹기종기 모여 있었다. 솔직히 너무 바글바글해서 조금 징그럽게 느껴 지기도 했다. 나는 인파에 몸을 맡기고 더욱 깊게 들어갔다.

길가에는 여러가지를 팔고있었다. 금붕어나 금붕어나

금붕어. 도대체 왜 이렇게 금붕어를 이렇게 많이 파는지는 도통 알 수가 없었다. 나는 금붕어를 팔고 있는 한 아저씨한테 물었다.

"아저씨, 금붕어 왜 팔아요?"

근대 아저씨의 상태는 뭔가 이상했다. 눈이 미간으로 모여서 나를 바라보고 있었다. 그리고 대답이 나오지 않고 뻐끔거리는 소리만을 들려줄 뿐이었다. 약간 인간이 물고기가 되어버린 그런 느낌을 주는 아저씨였다. 나는 소름이 끼쳐서 다른 금붕어 상인에게 다가갔다. 그러나 그 상인마저 똑같았다. 모든 금붕어 상인이 짜고 친 듯 하나같이 물고기 같았다. 그리고 금붕어의 상태도 이상했다. 전부 스티로폼 벽에 머리를 박으며 탈출이나 자살을 선택하고 있었다. 나는 문득 겁이 나서 저 멀리 도망쳤다.

숨이 거칠게 몰아쉴 정도로 달렸다. 나는 사람의 인파가 잘 닿지 않는 외딴 풀밭에 도착했다. 나는 그곳에서 소름이 돋은 양 팔을 쓸어내리며 공포에서 벗어나려고 행동했다. 그러나 그건 쉽게 되지 않았다. 한참이나 머릿속에 금붕어가 떠올랐다.

저녁 9시가 되어서야 내 머릿속에서 금붕어가 조금씩 사라져갔다. 나는 안심하며 아름답게 터지는 폭죽을 바라봤다. 유성군같이 찬란하게 내려오는 빛의 근원들이 너무나 아름다웠다. 역시 바깥으로 나오길 잘했다. 나름 만족스러운 여름 축제라고 느끼며 나는 집으로 돌아갔다.

피곤에 찌든 내 몸을 침대에 눕히고 나는 잠에 들었다.

나는 또다시 팔과 다리가 없이 풍덩 빠져버렸다. 눈이 뜨인 곳은 심해인지 아무것도 보이지 않았다. 정말 너무 어두컴컴해서 조금 무서울 지경이었다. 몸은 전혀 움직일 수 없었다. 그저 새카만 어둠을 바라볼 뿐. 그때, 무언가의 형체가 스리 슬쩍 움직인다. 나는 호흡을 멈추며 몸에 긴장이 들어갔다. 무언가 거인의 형태는 일사분란 움직이고 있었다. 발소리도 워낙 커서 귀청이 떨어질 지경이었다.

그런데 어느 순간 발소리가 들리지 않았다. 나는 오히려 불안감이 앞섰다. 도대체 어디로 사라진 거지? 그 순간 무언가 그림자가 나의 앞까지 쭈욱 다가왔다. 나는 경악하며 소리를 질렀지만 소리가 나오지 않았다. 그저 멀뚱멀뚱 서 있는 고깃덩어리만이 내 몸이었다. 그리고 거대한 머리 그림자에서 팔 그림자가 나타나더니 벽 옆을 주섬주섬 만졌다. 그러다 딸깍 하며 불이 켜졌다.

그곳에는 물고기처럼 눈을 모으고 입을 뻐끔거리며 나를 지그시 응시하는 내가 서있었다. 나는 그 자리에서 소리를 질렀으며 꿈에서 깨어나기 위해 혀를 씹든 어떻게 든 하기위해 발악을 했지만 이 고깃덩어리에는 그런 게 존재하지 않았다. 나는 있는 힘껏 몸을 움직여 벽에 머리를 처박으며 노력했지만 전혀 꿈에서 깨어날 기미가 보이지 않았다.

녀석은 마치 내가 자살을 하는 모습을 재밌다는 듯이 지켜보고 있었다. 그러다가 금붕어 밥을 들고 와서는 하늘에서 뿌렸다. 나는 이게 너무나 치욕스러웠다. 녀석은 그러다가 한참을 지켜봤다. 그러다가 질렸는지 뒤로 돌아보는데 툭 하며 어항을 건드렸다. 어항은 순식간에 바닥에 떨어져 깨져버렸다. 나는 드디어 숨이 더 이상 쉬어 지지 않았다. 이 꿈에서만 벗어나면 정말 벗어나면. 나는 간절히 바라면 죽음을 맞이했다.

문득 눈이 뜨였다. 나는 우두커니 서있었고 바닥에는 금붕어의 시체가 놓여 있었다.

나는 금붕어의 시체를 불살라 버리고 남은 잿더미는 비닐봉지에 담아 직접 쓰레기장에다 던져버렸다.

나는 그때 이후로 금붕어를 키우지 않는다

IWE-7 열차를 타고

2009년 / 3 / 7

　오늘 나는 생일을 맞자 저 멀리 여행을 떠나기로 시작했
다. 딱히 의미가 있는 여행은 아니지만 그래도 타지로 이동
하는 거라 그런지 살짝 떨려오는 마음에 나는 밤잠을 제대
로 이루지 못했다. 오히려 다행일지도 모르겠다. 분명 잤으
면 태평하게 꿈나라에 있다가 열차 시간에 못 맞췄을 테니
까.

　새벽의 공기는 아침보다는 가벼워서 숨쉬기가 편했다.
피부에 찰싹 달라붙으면 차가운 기분까지 내어주어서 나
름 만족스러운 정신과 함께 일기를 적을 수 있었다.

　일기는 여기까지 적기로 하고 나는 잠시 어딘가로 향했
다. 바깥의 달빛은 끈적하게 빛줄기를 흘러 보내고 있었다.
그 모습은 약간 은하수처럼 생겼었다. 별들은 보이지 않았
다. 아마 저 멀리 떠나버린다면 별을 훨씬 많이 볼 수 있겠
지. 내가 여행을 떠나는 곳은 아주 외딴 시골이다. 딱히 시

골에 가는 이유라면 그냥 도시에 환멸감이 느껴진다 해야 할 까. 도시의 혼잡한 네온사인처럼 서로 굽히지 않는 똑같은 인간들이 뒤섞여 내는 불쾌한 검은 소리때문에 나는 조용한 시골로 가고 싶었다.

저것 만이 이유는 아니었다. 이건 방황에 끝을 찾아 나서는 여행이고 진짜 내 삶을 다시금 알아가는 순례. 그렇기에 나는 가장 먼저 가야 하는 곳이 있다. 새벽에 이런 곳에 간다면 분명 부정을 타겠지만 나는 가야만 했다. 그곳은 내 오랜 친구의 묘였다. 어째서 묘를 가느냐 라고 묻는다면 나는 단언 코 이 녀석에게 내 여행을 알리기 위해서 가야한다고 대답할 수 있겠다.

내 친구의 묘가 있는 곳은 옆 동네 절이다. 거기까지 가는 건 한참이겠지. 그래도 그 아이를 위해서라면 나는 한걸음에 갈 수 있었다. 옆동네로 가는 길은 그리 복잡하지는 않았다. 그냥 쭈욱 앞으로 한 시간 동안 걸으면 툭 하고 튀어나온다.

1시간을 걷고 몇 분 정도 더 걸으면 성인 남자 3명을 쌓아 올린 높이의 나무가 나타난다. 거기는 옆마을과 지금 내가 사는 곳을 나눠주는 하나의 분단표다. 만약 저게 사라진 다면 인간이 하나로 합쳐질까? 이런 궁금증도 가끔 나타나게 하는 나무였다. 옛 추억을 회상해보니 딱히 의미 없었다. 하나로 합쳐지든 분단하든 그건 내 알 빠가 아니었다. 기억도 추억도 없었다. 존재 자체가 내게는 무의미한 나무였다. 그러나 다른 누군가에겐 아주 예쁜 추억이 그려진 상징물이겠지. 오히려 내게 나무라면 내가 여행을 가는 곳에 있는 아주 거대한 나무에 추억이 있다. 오래전에 거기서 함께 죽은 친구와 놀았었으니까.

거대한 나무를 기점으로 오른쪽으로 꺾어 풀이 조목조목 자란 비탈길을 조금 오르면 조그마한 절이 나온다. 그리고 거기에는 공동묘지가 있다. 나는 익숙한 듯 손에 바가지를 들고 물을 떠서 내 친구의 묘비를 찾아 나섰다. 친구의 묘비는 대나무와 제일 가까운 외진곳에 박혀 있다. 나는 물을 졸졸졸 뿌리고 녀석에게 참배했다.

"잘 지내? 나 여행을 갈려고. 그게 다 끝나면."

뒤에 더 할말이 있었다. 그런데 어째서인지 목에서 튀어나오지 못했다. 그건 분명 아직 말할 수 없는 것이겠지. 어찌 되었든 너를 만나서 기뻤다. 여행가기전 꼭 네 모습을 보고싶었으니까. 나는 비석 뒤에 기대어 잠시 눈을 감고 기다렸다. 홀연히 나타나는 죽음의 소리를. 너무나 조용하고 포근해서, 섬뜩하면서 사랑스러웠다. 나는 아직은 때가 아니야 라며 돌려보냈고 자리에서 일어나 옷에 묻은 먼지 따위를 훌훌 털어버렸다.

"그럼, 잘 있어."

나는 내 오랜 친구 곁에서 잠시 떨어졌다. 그날따라 바닥에 떨어진 잎사귀가 밟히는 소리는 더욱 크게 들려왔고 바람도 어쩐지 더 차가웠다.

저 묘지에 잠든 친구의 이름은 토오루다. 아가사키 토오루. 예전에 같이 시골에서 함께 놀았던 한 명의 아이. 그와의 추억을 조금 곱씹는다면 섬광처럼 팡 하며 빛줄기가 터져 나왔다. 그곳에는 상이 맺히듯 기억의 사진들이 점차 형성을 갖추며 내 눈앞에 나타났다. 그와의 추억은 매우 아름답다고 할 수 있겠다. 순수한 두 어린아이의 우정과 유대는 끊을 수 없는 엉킨 실타래였다. 아니, 어쩌면 이건 사랑일지도 모르겠다. 그렇다면 그의 얼굴을 기억하느냐 라고 내 머리가 늘 물어온다. 나는 아니 라고 대답할 수밖에 없었다. 아가사키 토오루에게 미안하지만 나는 그를 추억하지만 얼굴은 기억하고 인지하지 못한다. 이건 내 선천적인 문제였다. 나는 모든 사람이 똑같이 보인다. 아주 조금씩 다른 얼굴상을 가졌을 뿐 모두 똑같다. 그렇기에 나는 그 사람의 외관적 요소보다는 내적 요소와 몸이 보이는 반응을 더욱 오랫동안 살펴봤다. 사람 개개인이 가지는 호흡과 떨림, 신체반응과 말투, 그가 내뿜는 특유의 분위기까지. 나는 그런 것들로 사람을 판단해왔다.

나는 사람의 얼굴을 보고 사람을 알지 못한다. 나는 인간을 이해할 수 없다. 아가사키 토오루도 이해할 수 없었다. 참으로 아쉽다. 그를 이해했더라면 그가 죽음을 선택하지 않았을 텐데.

묘에서 내려와 나는 다시 한참을 걷기보단 택시를 타고 역까지 한번에 가기를 선택했다. 2차로에 쌔앵 하며 바람을 일으키는 현대의 항해사들은 각자 자신의 고향으로 돌아가고 있었다. 나는 그 사이에 있던 어느 돛단배 같은 택시를 잡아서 탔다. 풀썩 자리에 앉아 푹신한 소파가 나를 안아줬다. 나는 눈감을 감고 잠시 창에 기댔다. 이곳은 바깥과 단절된 다른 세상이었다. 조용했고 나와 운전기사 밖에 없다. 얼마가 지났을까 운전기사가 내게 말을 걸어왔다.

"이 시간부터 묘지에 다녀오셨어요?"

나는 고개를 끄덕거리며 "네" 라고 대답했다.

"이 시간에 가면 무서우실 텐데."

"아뇨, 그 정도까지는 아니 에요."

기사는 웃으며 대답했다.

"꽤나 담력이 좋으시네요."

잠시 말이 없다가 운전기사가 다시금 말을 꺼냈다.

"역에 가시는 건 여행을 위해선가요?"

"네, 잠시 여행을 떠나려고요."

"그럼, 좋은 여행 되세요."

그 말을 끝으로 나는 택시에서 내렸다.

택시 바깥에서는 얕은 빗방울이 떨어지고 있었다. 너무나 작아서는 물이 고인 웅덩이에 떨어져도 퐁당거리지 않았다. 나는 택시에서 내려 역으로 걸어갔다. 거대한 역 안에는 사람들이 텅 비어서 이질감이 느껴졌다. 나는 열차가 오기까지 기다리며 의자에 앉아있었다. 열차는 생각보다 빨리 도착했다. 나는 손을 가지런히 모으고 열차에게 다가갔다. 열차에는 IWE-7 이라고 적혀 있었다.

자리에 앉자 내 옆에 연한 초록색의 머리카락을 가진 소녀가 앉았다. 교복 치마와 씹어 대는 껌, 손에는 최신 핸드폰인 아이폰까지 가지고 있었다. 노는 아이구나 생각하고 나는 눈을 감고 한숨 자기로 마음을 먹었다. 그러나 내 옆자리에 있는 소녀는 그걸 부정하듯 내 팔목을 쿡쿡 찔렀다. 나는 눈을 뜨고 고개를 돌려 소녀를 바라봤다. 그러자 소녀는 입을 열고 말했다.

"언니, 언니는 어디로 가요?"

"나? 글쎄, 나도 잘 모르겠는 걸."

정말로 모르겠다. 결국 여행을 떠났지만 나는 어디로 향하지. 내 최종 목적지는 어디야. 그 시골은 형식적인 목적지지 완벽한 끝이 아니야. 여행이라고 적었지만 이건 방황이라고 읽어야 했다. 목적이 있는 방황. 그것은 제일 괴로운 삶이었다. 그렇기에 나는 소녀의 대답에 답할 수 없었다.

"너는 어디로 향하는데?"

"저는 가출했어요. 어디든 상관없어요."

나는 어머 그렇구나 하는 식으로 무미건조하게 반응했고 소녀는 살짝 놀란 눈치였다.

"헐, 가출했다고 하는데 왜 그렇게 반응이 밍밍해요?"

"글쎄, 나도 가출을 해버려서 그런 가?"

내가 키득거리며 웃자 소녀도 쿡쿡 웃었다.

"언니는 뭐 때문에 가출했어요? 저는 이 도시가 너무 싫어서 나와버렸는데."

"나도 비슷해. 그냥 방황하고 있다고 해야 할 까."

소녀는 고개를 끄덕거리더니 내 손을 잡았다. 그리고는 어쩐지 진지한 표정을 보이더니 내게 말을 걸어왔다. 손은 조금 떨렸고 호흡도 가지런하지 못했다.

"저, 도시가 싫어요. 끊임없이 틀에 맞춰서 성장하라 하고 틀에 안 맞으면 아예 자르려고 해요. 그렇게 나를 바꿔놓고, 내 꿈을 망가트리고는 갑자기 꿈을 찾아서 진로를 정하라니. 이거 완전 어이없지 않아요?"

나는 맞다고 대꾸했다.

"과연 방황이 언제쯤 끝날까요 언니."

나는 조금 고민하다가 대답했다. "방황은 끝나지 않아. 죽을 때까지 말이야."

"너무 절망적이네요."

"꼭 그렇지는 않아. 네가 방황을 한다는 건 다른 사람도 방황을 한다는거야. 그리고 방황하는 실들이 서로 엉키고 섥혀서 관계를 만들지. 그게 사랑이 되고 어느 순간 같이 함께 방황하는 거야 그리고 잠시 쉬는 거지."

나와 소녀는 동시에 말했다.

"그래도 방황은 끝나지 않아." "그래도 방황은 끝나지 않죠?"

우리는 자조적으로 웃었고 그 이후로는 한마디도 하지
않고 서로의 시간을 보냈다. 더 이상의 대화는 무의미하다
고 서로 생각했겠지.

어느덧 나는 목적지에 왔다. 나는 열차에서 빠져나와 소
녀에게 손을 흔들며 말했다.

"방황, 힘내."

"언니도요."

소녀는 활짝 웃으며 내게 손을 흔들었다. 오늘도 내 친구
가 저 멀리 사라졌다. 나는 다시금 홀로 방황길에 나섰다.
역에서 빠져나온 나는 다시금 택시를 잡아 저 멀리 내가 살
았던 시골로 돌아갔다. 시골은 아주 푸르렀다. 넓게 깔린
초원과 논밭은 가히 자연의 모습 그대로였다. 나는 잠시 감
탄하다가 부모님이 살았던 집으로 돌아갔다. 해는 점점 뜨
고 있었고 나는 집에 문을 두드렸다. 가족은 죽은 사람이
되살아서 나타난 것 마냥 나를 놀란 듯이 쳐다봤고 나는 어
딘가 이상하게 미소를 지었다. 어머니는 나를 꼬옥 끌어안

으시더니 "왜 이렇게 수척하니." 라며 눈물을 흘리셨다. 나는 볼을 긁으며 그런 일이 있다고 말했다.

집에 돌아와서 나는 이불을 깔고 마저 못 잔 잠을 자버렸다. 그것마저 얼마 안가 아침 9시가 되어서는 깨어났다. 나는 아쉬운 마음에 다시 이불을 덮었지만 역시 잠은 오지 않았다. 수면장애에 일종인 가. 나는 도시에 가서 한동안 여러 일이 있었다. 고등학교 진학 때문에 고향을 떠나서 혼자 단칸방에 들어가 매일 혼자 살았다. 그때는 토오루마저 없었다. 그렇게 한참이나 학교 든 집이든 고독을 친구삼아 살았다. 썩 좋지 않은 기분이었지만 그래도 외로워서 춥지는 않았다. 어쩌면 이게 더 비참한 가. 나는 더 이상 외로움을 생각하지 안하기로 했다.

어머니가 들어오셔서서 내게 말을 걸어오셨다.

"토오루랑은 잘 지내니?"

나는 토오루가 죽었다고 말할 수 없어서 네, 잘 지내요 라고 대답할 뿐이었다. 마음을 꽈악 조여오는 감각때문에 눈물이 나올 뻔했다. 어머니는 그렇구나, 다행이네 라고 말하시고는 아침밥을 차려 주셨다. 나는 방에서 나와 거실로 향했다. 익숙한 갈색의 구조물, 주름이 하나도 안 느신 부모님들과 익숙한 목소리. 그리고 그곳에는 마지막 퍼즐 조각인 내가 있었다. 나는 오랜만에 따뜻한 사람의 온기를 느껴서 조금 만족하며 식탁의자에 앉았다. 밥은 얼마 지나지 않아 등장했고 평범한 국과 생선구이였다. 어머니는 생선 한 조각을 뜯어 주시며 내 밥그릇에 넣어 주셨다.

생선은 옛날처럼 감칠맛과 짠맛이 많았고 쌀밥도 그렇게 잘 지으시지는 못했다. 그런데도 내가 요 근래에 먹은 패밀리 레스토랑 요리보다도 맛있었다. 나는 그렇게 한 공기 먹고 바깥으로 향했다.

얼마나 지났을까 어머니가 보지 못할 정도로 멀리 떨어져서는 나는 풀썩 쓰러졌다. 정말 가슴이 쥐어 짜이는 감각이라서 나는 숨을 제대로 쉴 수 없었다. 너무 아파서 눈물까지 줄줄 흘러나왔다. 너무 괴로워서 더 이상은 버티지 못하고 그냥 죽어버리고 싶었다. 그러나 죽을 수는 없었다. 아직 여행의, 방황의 끝을 찾지 못했으니까. 나는 그렇게 한참이나 바닥에 누워 굴렀다. 한참을 신음하자 그제서야 잠시 괜찮아졌다.

깊게 숨을 내쉬고 나는 오랜만에 시골을 둘러봤다. 예전에 토오루와 함께 놀았던 놀이터는 잔뜩 녹이 슬었고 풀들이 엄청 무성하게 자랐다. 삐걱거리는 원심분리기 놀이기구(모두가 이렇게 불렀다.)를 어루만지다 슬며시 왼쪽으로 밀었다. 그건 얼마 가지 않아 뚝하며 끊어져버렸다. 너도 참 오랫동안 있었구나. 나는 그나마 상태가 좋은 그네에 잠시 앉았다. 한쪽은 이미 무너져버려서 처참해 보였다. 나는 그곳에서 한참이나 멍을 때렸다. 그러다가 근처에 누군가가 있는 감각에 나는 고개를 돌렸다.

그리고 길목에서.

너무나 아름다운 분위기가.

너를, 아가사키 토오루를 발견했다.

나는 황급히 뛰어가며 토오루를 잡으려 했지만 내 손은 너에게 닿지 않았다. 나는 눈물이 밀려나와 소리쳤다.

"제발! 제발 돌아봐 줘 토오루!"

내가 자리에 앉아 슬피 울자 토오루는 움찔하더니 몸을 돌려 주저앉은 내게 손을 내밀었다. 나는 훌쩍거리다가 그의 손을 잡고 자리에서 일어났다.

"오랜만이야."

나는 그를 껴안고 아주 슬프게 울었다. 반가워서, 돌아와 줘서, 다시는 못 볼 걸 알아서, 유령이라서. 이유는 많았지만 역시 단 하나의 이유는 사랑이었다. 내 방황을 함께해줄 사랑의 등장 때문이었다.

나는 토오루의 손을 잡고 그가 이끄는 길로 향했다. 익숙한 돌담을 밟아 건너고 숲 깊숙한 곳으로 들어가면 부자연스러운 돌탑이 우수수 쌓인 돌 무더기의 무덤이 나타난다. 그리고 그곳에서 더욱 들어가면 신비한 요정이 잠들어 있는 듯한 거대하고 아름다운 거목이 잠자는 곳에 도착한다.

나와 토오루는 거목에 기댔다. 토오루가 먼저 말을 꺼냈다.

"우리가 예전에 했던 대화 기억나?"

"대화?"

"죽음의 소리 말이야."

아. 맞다. 그런 대화를 했었다.

죽을때가 되면 알아서 소리가 들려와. 죽음의 소리가. 과연 너에게는 들릴까?

나는 그때 너를 만나지 못하게 되었을 때 정말 너무나 괴로워서 죽을 때가 되었다고 말하며 이렇게 말했지.

응, 확실하게 들려. 귀를 찢어버리는 듯한 소리가.

토오루가 나를 껴안으며 귀에 속삭였다.

아니, 그건 죽음의 소리가 아니야. 죽음은 언제나 조용히 다가오거든.

토오루, 이제는 들려. 아주 고요하고 따스한 소리가. 외로운 여행은 이제 여기서 끝인가 봐. 너무나 기뻐서 눈물까지 흘러나와. 너와 함께 했던 이 거대한 나무 아래에서 몸을 뒤덮는 끈적한 빛과 함께 죽어 버리다니. 너무나 낭만적이지 않아? 나, 너와 만나서 정말 다행이라고 생각했어. 모두가 나를 이해하지 못할 때 너가 유일하게 나를 이해했거든. 너는 나를 아주 사랑했지. 나도 너를 너무 사랑했어. 그러나 나는 내 감정조차 이해하지 못하였기에 너를 사랑해 주지 못했어. 정말 미안해.

"토오루."

"왜 그래?"

"혹시 마지막으로 키스해줄 수 있어?"

"들리는구나. 그 소리가."

나는 고개를 끄덕거렸고 눈을 감았다. 얼마 지나지 않아. 죽은 사람이라고 상상할 수 없는 따스함이 느껴졌다. 서로의 혀가 닿았고 너무나 아득한 기분이라 정신이 새하얗게 물들었다. 너무 사랑스러워서 눈물이 쏟아졌고 나는 한참이나 즐겼다.

얼마나 지났을 까.

눈을 뜨자 그곳에 토오루는 없었다.

그리고 그 어떤 소리도 들려오지 않을 때 나는 그제서야 알았다.

눈은 자연스레 감겼고 몸은 알 수 없는 따스함에 안겼다.

나는 인간을 이해할 수 없었지만 삶의 종착지에서 바로 너, 토오루를 이해할 수 있게 되었다.

나의 방황은 끝났다.

1988년의 여름

=

1988년의 겨울

-1988년의 여름-

1988년의 여름이었다. 여느 때와 다름없이 매미가 울고 있던 어느 날에 갑작스레 비가 내리기 시작했다. 나는 비가 내리는 것을 그리 좋아하지 않았기 때문에 탐탁치 않게 여기고 집에서 몇일을 보냈다. 딱히 일을 할 이유도 없었기에 이렇게 살았다.

비가 내리던 여름의 어느 날이었다. 평소처럼 아침 7시 30분에 일어나 주섬주섬 머리를 긁어 대며 눈을 천천히 떴다. 방안은 어두컴컴하고 눅눅한 것이 내가 곰팡이라도 된 기분이었다. 청색으로 짙게 물들어버린 사각 심해에서 나는 벌떡 일어나 창문을 열어버리고 머리를 쑤욱 밀어 넣었다. 머리에 빗방울이 총알처럼 투두둑 박혀서는 정말 짓궂은 날씨라고 생각했다. 하늘이 너무하다. 나는 무심하게 하늘을 올려다보았다. 그는 뾰루퉁한 표정을 지으며 찡그렸다. 나는 한숨을 푸욱 내쉬며 머리를 다시 방으로 집어넣었다. 목부터 정수리까지 완전 젖어버려서는 완전 우울에 빠진 사람 같았다. 어쩌면 맞는 말일지도 모르겠다.

나는 방에서 나와 욕실로 향했다. 그곳에서 걸려있던 수건 하나를 꺼내어 머리에 붙어있던 조그마한 물방울을 털어버렸다. 꾸욱꾸욱 머리카락을 눌러가며 스며든 물기마저 짜내 버렸다. 나는 이제서야 편안하다며 살짝 멋쩍은 미소를 지었다. 그리고 근처에 있던 헤어 드라이기를 쥐고 머리를 말리기 시작했다. 이왕 닦았으니 머리는 말려야 했다. 그때, 거실에서 수화기가 울렸다. 나는 잠시 고민에 빠졌다. 머리를 다 말리고 받으면 안될 까. 그러나 그 전화는 내가 다 말리고 나면 알아서 끊어질 듯했다. 그렇지만 나는 머리를 말리고 있다고. 나는 "어쩔 수 없지"라고 스스로 말하며 수화기로 다가갔다. 그리고 미심쩍은 전화를 받았다. 수화기 저 너머에서는 지지직 거리는 소리가 들려왔다. 나는 장난전화구나 싶어 확 끊어버리려 했다. 그러자 툭툭하며 소리가 들려왔다. 마치 나의 이목을 집중시키려는 듯한 소리가.

내가 먼저 말했다. "누구세요?"

소리가 닿지 않았나 대답이 들려오지 않았다. 나는 침묵하며 끊임없이 들려오는 지지직 소리에만 귀를 기웃거릴 뿐이었다. 나는 한참이나 닿지 않는 수화기를 다시 놓았다. 세상은 나에게 장난을 치듯이 다시금 수화기가 울렸다. 나는 살짝 떨리는 마음으로 다시금 집어 들어 귀에 가져다 댔다. 그리고 이번에는 소리가 들리기 시작했다.

"아아, 아라사키 들려?"

익숙한 목소리에 표정이 맑아졌다. 수화기 너머의 그는 내 친구 나가사와였다. 나는 반가운 마음에 잘 들린다고 말했다. 지겨운 내게 있어 친구의 연락은 완벽한 순간에 등장하는 영웅과도 같았다. 허나 그는 그리 기쁜 듯한 목소리가 아니었다. 그의 상태는 분명 현재의 날씨와 비슷했다. 우중충하고 어둑한 그의 모습의 나는 살짝 움츠려들 수밖에 없었다. 그는 조심스레 입을 열며 내게 말을 걸어왔다.

"그, 술이라도 잠시 마시러 나오지 않겠어? 마실 거면 늘 먹던 곳으로 와."

지금 시간은 오후 1시였다. 분명 그는 번듯한 직장인이었으나 이런 시간에 술을 마시다니. 나는 알겠어 라고 답하며 뚝 하고 끊어버렸다. 나는 주섬주섬 옷을 주워 입고 우산을 몸에 기대어 밖을 나섰다. 바깥은 아직까지도 우중충하였고 길에서는 자동차가 물을 뿌리며 달려나갔다. 몸이 젖는 것만큼은 피하고 싶었기에 나는 전력을 다해 웅덩이를 피해 다녔다.

번화가에 들어서자 사람들로 가득차서는 시끄러운 대화 소리가 광장을 빙빙 돌았다. 나는 사람을 피해 다니며 조금 깊숙하게 들어가 같이 마시던 술집 '1988년의 여름'이라는 술집에 들어갔다. 감성 있는 종이문을 열며 들어가자 코를 찌르는 닭꼬치 냄새가 풍겨왔다. 내 친구는 4인 테이블이나 2인 테이블이 아닌 주인장과 바로 마주보는 좌석에 앉았다. 나는 그의 옆에 앉으며 어깨를 툭툭 건드렸다. 그러자 그는 고개를 돌리더니 아 왔구나 하는 듯한 표정으로 나를 맞이했다.

"표정이 왜 그러냐."

그는 말없이 손에 들고 있는 맥주를 벌컥거리며 마실 뿐이었다. 그 모습에 나는 한숨을 내쉬며 주인장에게 닭꼬치와 하이볼을 주문하였다. 주방에서는 치이익 같은 소리가 들려오며 요리가 시작되고 있었다. 나는 나가사와의 어깨를 두드리며 무슨 일인지 말해보라고 그에게 말했다. 허나 그는 말을 일절 하지 않았다. 마치 아직은 때가 아니라는 듯.

둘 사이에 적막한 분위기가 흐를 때 주인장이 닭꼬치와 하이볼을 앞에 내밀었다. 나는 머리를 살짝 숙였고 내 앞에 음식과 술을 올려 놓았다. 내가 하이볼을 한입 마시자 나가사와는 그제서야 한숨을 푸욱 내쉬고 말을 하기 시작했다.

"몇일 전이야."

그는 살짝 흐르는 땀을 손수건으로 닦아내며 입을 가린 체 말을 연결했다.

"분명 죽었던 그녀의 모습을 본건."

"뭐야, 그 기분 나쁜 이야기는."

그에게는 죽었던 여자친구가 있었다. 아마 1년전이었던가 분명 비가 오던 여름이었나 그쯤에 한쪽이 죽어버려서 헤어졌다는 걸 떠올렸다. 나는 좋지 못한 일이네 라고 말하며 닭꼬치를 으적으적 씹었다. 나가사와는 계속해서 말을 해왔다.

"그래서 나는 믿지 못했어. 내 손으로 직접 붙잡아 보지 않는 이상 그녀가 다시 돌아왔다는 걸 믿을 수가 없었어. 그래서 뒤를 쫓아서 손목을 붙잡았지. 그런데 너무나 차가운 거야. 너무 차가워서 온몸에 닭살이 돋고 식은땀이 줄줄 흘렀어. 사람의 온기가 아니었거든. 그녀는 분명 유령이었어."

나가사와의 표정은 점차 안 좋아져만 갔고 말도 호흡도 더듬거리며 마치 불안해하는 듯 보였다. 나는 그를 진정시키며 술을 들이켰다. 그는 갑작스레 평온 해지며 다시금 말을 이어 나갔다. 그 모습에 나는 살짝 무서움을 느끼며 거리를 뒀다.

"이봐 아라사키. 만약 너라면 이 상황을 받아들이겠어?"

"나는 받아들이지 못하겠는데."

그러자 나가사와는 내 머리를 붙잡더니 곧장 자신의 머리를 가까이 들이대며 내게 반복적으로 말했다.

"받아드려, 받아드려. 받아드려. 받아드려. 받아드려. 받아드려. 받아드려. 받아드려. 아니다. 너는 받아들이지 말고 저 멀리 도망쳐. 저 멀리 도망쳐. 도망쳐. 도망쳐. 도망쳐."

"나가사와. 많이 힘든 건 알겠지만 그런 환상은 저 멀리 넣어둬. 그거 병이야."

나가사와는 그러자 다시금 차분해져서 맥주를 마셨다. 한입 먹은 닭꼬치는 한참이나 식어버렸다. 술을 먹을 기분도 아니었다. 나는 입술에 하이볼을 가져다 대고 그 잔여물을 더듬을 뿐이었다. 나가사와는 머지않아 내게 다시 말을 걸어왔다.

"미안, 아라사키. 지금 많이 예민해서 그랬어. 술값은 내가 낼 테니까 먼저 들어가."

그의 표정에서는 음울하고 마치 모든 게 건조해진 사람의 분위기가 물씬 풍겼다. 분명 그를 여기서 내버려 두었다간 그가 스스로 목숨을 끊을지도 모른다는 생각에 나는 그에 곁에서 벗어나지 않았다.

"그렇구나. 같이 한 배를 타겠다는거구나. 좋아, 우리는 아주 어릴 적부터 친구였으니까. 역시 너 밖에 없어."

그는 술을 다 마시고 계산마저 다 끝냈다. 나와 나가사와 는 우산을 쓴 체로 나가사와의 집까지 걸어갔다. 나가사와 는 밖에서 가방을 등에 메고 우리집까지 향했다. 나는 그가 자신의 집에 들어가 잠이라도 잘 것이라고 생각했건만. 나 는 집에 먼저 들어갔고 나가사와에게 집으로 들어오지 않 겠어? 라고 묻자 그는 "아니야, 바깥에 있을래." 라고 말했 다. 나는 그가 바깥에 있다가 자신의 집으로 돌아갈 것이라 믿었다. 그러나 그는 저녁 11시가 되어서도 바깥에서 비를 우두커니 맞으며 서있었다. 나는 그가 어째서 저런 행동을 하는지 이해하지 못했다. 그랬기에 나는 천천히 밖으로 나 서서 그에게 말했다.

"나가사와, 잠시 밖이라도 걷자."

그 말을 들은 나가사와는 활짝 웃더니만 알았다며 먼저 길을 걷기 시작했다. 나는 그의 손에 우산을 쥐어 주며 뒤 따랐다. 내가 그의 뒤를 걷자 그는 마치 어딘가로 걸어가듯 앞장서 걸었다. 나는 그와 대화를 하면서 무슨 일인지 알아내기 위해 걷는 것이었는데 그는 단 한마디조차 꺼내지 않았다. 내가 먼저 "왜 그렇게 여자친구에 집착하는 거야."라고 말하자 고개를 돌리더니 말했다.

"인간의 열망이라고 알아?"

"모르지는 않는다고 생각하는데."

"너는 너무 몰라. 그것도 아주 한참이나. 우리는 모두 마음속 한구석에 아주 가득하게 거대한 열망이 있어. 나에게 있어서 그것은 내 여자친구였고."

나가사와는 그렇게 말하더니 뒤따라 말했다.

"너는 이제 열망이라는 걸 알겠어? 무언가를 강렬하게 바라는, 거대한 불꽃 속 이글이글 솟아오르는 노란색의 열망을?"

"미안, 너무 어렵네. 잘 모르겠어."

"그래, 어쩔 수 없지. 아마 내가 너의 친구가 된 이유는 너에게 열망이라는 것을 알려주기 위해서 그런 것 일거야."

우리가 병원 근처에 도착하고 말이 불완전하게 뚝 끊기

자 분위기는 무언가 이상했다. 응급실에서 비춰오는 강렬한 불빛이 우리의 몸을 비추며 한쪽을 어두컴컴한 모습으로 만들었다. 그때 내가 바라본 나가사와의 모습은 빛을 등지며 완벽히 어둠에 먹혀버린 새카만 모습이었다. 그는 가방에 손을 넣고 천천히 다가왔다. 그 행동에 불순함을 느낀 나는 자연스레 뒷걸음질을 쳤지만 우리의 거리는 너무나 가까워 도망을 치기에는 너무나 늦었다. 나가사와는 가방에서 손을 꺼내더니 만 그곳에는 빛을 반사시키는 날붙이가 쥐어져 있었다. 세상이 멈춘 듯했다. 우우웅 하며 세상이 흔들리는 소리밖에 들리지 않는다. 정말 너무나 신기한 감각이었다. 그러나 그 뒤에 오는 감각은 상상하기란 어려웠다.

푹

배가 칼에 찔렸다.

살이 찢어지며 깊숙하게 들어가는 통각은 온 몸을 전율시킬 정도로 괴로웠다. 척추와 신경을 모조리 불태워버리는 감각에 나는 연신 소리를 지르며 찔린 부위를 필사적으로 막을 뿐이었다. 배에 꼽힌 칼과 부여잡을수록 한가득 묻는 혈흔에 나는 무서움에 눈물이 났고 태어나 처음으로 살고 싶다며 그 어디에나 소리를 질렀다. 나가사와는 그 모습에 살짝 만족한듯 나를 바라봤고 나는 그를 증오에 가득찬 시선을 보내기전에 제발 살려달라는 애정에 구는 시선을 보냈다. 그는 내 마음에 응답했는지 주섬주섬 다가와 칼을 뽑았고 입을 열었다.

"이제 피가 흘러 넘칠거야. 이제 열망이 진짜 무엇인지 알겠어?"

나는 알았다며 제발 살려달라고 그의 신발에 머리를 비비며 말했다. 그는 아직이라며 이번에는 내 허벅지에 칼을 박아 넣었다. 다시금 찔려오는 감각에 나는 소리를 지르기도 전에 정신을 잃어버리고 말았다. 나는 그 순간 내가 죽었다고 생각했다.

다시금 눈을 뜬 곳은 입원실이었다. 그 옆에는 나가사와가 있었다. 나는 본능적으로나 이성적으로나 그가 너무나 혐오스럽고 무서웠다. 그렇기에 의사와 간호사를 빠르게 호출하며 난동을 피웠지만 상처부위가 벌어지며 피가 다시금 새어 나와 오랫동안 할 수 없었다. 나가사와는 이봐 진정하라고 같은 말을 뱉으며 나를 멈추려는 행동을 보였다. 나는 그의 목을 조르며 애꿎은 분노를 표출했지만 그래봐야 달라지는 것은 없었다. 나는 손을 놓고 침대에 풀썩 누웠다.

"나 자수하려고."

그는 갑작스레 말문을 열었다.

"이제 너도 열망이 무엇인지, 열망에 대해 눈이 뜨였을 테니까 이제 내 죄를 밝혀야지."

나는 열망이라는 단어가 진절머리나 버럭 화를 냈다.

"그 썩을 열망이라는 건 도대체 뭐야? 그건 그냥 너의 망상일 뿐이라고."

"죽을 위기에서 너는 분명 느꼈으니까 알게 될거야."

그는 그 말을 끝으로 밖으로 나섰다.

한참이 지나서야 나는 나가사와가 정신병이 있다고 판단되어 정신병동에 수감되었다는 것을 들었다. 나는 그렇게 되었구나 하며 고개를 끄덕거렸다.

그 일이 있던 이후로 나는 몇 개월간 침상에 누워 시간을 허송세월 보냈다. 끝없이 내릴 듯한 비마저 거짓말 같이 개어버리고 겨울이 다가왔다. 살이 떨려오는 추위와 함께 병원에서 퇴원하자 상처가 꽁꽁 얼어붙는 느낌이었다. 과연 열망이란 무엇일까? 그 열망이 무엇이길래 나가사와를 이렇게나 미치게 만들었을까? 나는 한숨을 푸욱 내쉬며 택시에 몸을 실었다. 그간 힘들었던 탓인가 살짝 졸렸다. 집까지는 한참이니까 역시 한숨 자는 게 좋을까.

"이봐, 아라사키."

이 목소리는 나가사와였다. 눈을 뜨자 그의 모습이 보였다. 그리고 오른손에는 식칼이 있었고 또다른 식칼이 내 배 안쪽에서부터 뚫고 자라났다. 그것도 무척이나 천천히 다가와서 나는 고통을 참지 못하고 바닥에 드러누워 제발 아무나 살려달라고 빌었다. 어째서 다시 돌아온거지?

"아라사키, 이제 알겠어? 열망을?"

아니야, 나는 몰라. 그런 건 알 수 없어.

"아니, 너는 사실 너도 모르는 열망이 있어. 그건 바로 내게서 벗어나고 싶다는 열망이야. 두려움에 몹시 겁이나 도망치는 거지."

아니야, 나는 그런 열망 몰라. 칼이 내 배를 깔끔하게 뚫어버리고는 바닥에 떨어지자 어느샌가 식은 땀과 함께 눈이 뜨였다. 나는 아직도 그 무언가의 세상에 있는 듯했다. 상처부위도 살짝 아팠고 언제까지나 내 옆에 나가사와가 있는 기분이었다.

"이봐요, 괜찮아요?"

"아, 네."

매미가 울었던 평범한 일상이었던가. 이제 더 이상 평범한 일상으로 돌아갈 수 없음을 나는 자연스레 알고 있었다. 아아, 다시금 나가사와가 내게 찾아온다. 저 창문 밖, 어두운 이 세상 속 나가사와가.

-1988년의 겨울-

겨울이었다. 포슬포슬한 눈이 하늘에서 하늘하늘 흔들리며 떨어지는 그런 겨울이었다.

그때를 회상하면 아직도 무섭고 쓰리다. 그해 여름, 나는 택시를 타고 집에 도착하여 살았다. 평소와 같이 비가 내렸고 술집인 1988년의 여름에도 자주가서 혼자 술을 마셨다. 가끔 회사원들과 합석을 해서 다같이 하이볼과 맥주를 마시며 시끌벅적하게 떠들어대는 그런 재미도 쏠쏠했다. 그러나 그것이 끝나고 나면, 알코올에 마법이 끝나고 나면 내게는 공포가 찾아왔다. 칼을 들고 나를 죽이러 찾아오는 나가사와의 환상으로 인해서 신경은 늘 곤두서서 쇠약 해졌고 그런 일상의 연속이 이 외로운 겨울까지 찾아왔다.

문을 드르륵 열고 밖으로 나섰다. 하늘에서는 아직 눈이 내리지 않았다. 나는 머리를 긁적이며 모자와 코트를 걸치며 그곳으로 향했다. 나는 항상 공포에 떨어야 했기에 이번 한번만 용기를 내어 그에게 다가가 이 환상에 비밀을, 열망에 대한 비밀을 파헤치러 향했다.

나는 택시에 몸을 싣고 그가 있던 정신병동에 찾아갔다. 몇일전에 일반 병동으로 옮겨진 그녀석을 만나는 건 그리 어렵지 않았다.

문을 열고 들어서자 그곳에는 알아볼 수 있을 정도로 쇠약해진 나가사와가 누워있었다. 나는 무미건조하게 발걸음을 옮겨 그에게 다가갔다. 그는 내 발소리를 들었는지 살짝 난처한 웃음을 보이며 내게 인사해왔다.

"요, 아라사키."

"오랜만이야."

그곳에는 먹먹한 공기만이 흘렀다. 나는 병원침대 옆에 놓여진 동그란 의자를 들고와 앉았다. 6개월만에 이렇게나 서로의 위치가 달라질 줄이야. 솔직히 조금 우습다. 나를 그렇게 죽이려고 했으면서 이렇게 쇠약해지고 자신이 피해자처럼 행동하다니.

우리는 무슨 말을 해야 할지 몰라서 묵묵히 가만히 있었다. 그때 내가 먼저 입을 열었다.

"도대체 열망이란 뭐야."

나가사와는 호탕하게 웃었다. 심지어 눈물마저 살짝 흘릴 정도로. 그는 그렁그렁한 눈물을 훔치고 숨을 내쉬더니 천천히 입을 열었다.

"열망은 너가 마음속으로 무척이나 바라는 일이지. 예를 들면 너가 너무나 배고픈 상태야. 너무나 배가 고파서 확 죽어버릴지도 모르지. 그때 살고 싶다며 밥을 애타게 원하는 게 열망이야."

"그런 사전적 의미는 나도 알아. 그렇다면 그 열망이 생기면 어떻게 되지?"

"열망의 실체화야. 눈에 보이는 거지. 내게 있어서 여자 친구란 다시금 만나고 싶은 열망의 대상이야. 그래서 내게 보이는 거지."

"그렇군, 열망은 정신병의 일종이다 라는 건가?"

"그것과는 비슷하면서 달라. 이건 정신병이 아니야. 혹시 모르지. 우리의 열망의 담긴 에너지가 얼마나 강렬한지. 그리고 그 에너지로 실체화된 열망이 얼마나 현실에 잘 개입하는지."

그러나 되돌아와야 할 말은 들리지 않았다. 나는 이상함을 느끼고 주위를 둘러보았다. 그곳에는 전혀 달라지지 않은 그런 병실이 나를 반겨주었다. 의자도, 아라사키도 전혀 보이지 않았다. 내가 모르는 사이에 돌아돌아 간 것일까? 나는 그를 다시금 붙잡을 힘도 없었고 그럴 마음마저 닿지 않았다. 우리는 파국으로 치달았으니까. 그럼에도 나는 그에게 꼭 열망이 무엇인지 알려주고 싶었다. 다만 그 방법이 잘못되었을 뿐. 그리고 나는 아직 그에게 말하지 못한 열망의 또다른 비밀이 있었다. 열망은 절대 자신이 원하는 방향으로 이루어지지 않는다.

"아라사키. 아마 너에게도 분명 열망이 생겼을거야. 내게서 벗어나겠다는 열망이. 그것만 생긴 것은 아니겠지. 그 열망이 끊임없이 이어지기 위해 공포로 점칠된 나가사와가 너의 곁을 영원히 떠돌테니까."

말은 저렇게 했지만 나 스스로도 알고 있었다. 아라사키와 내 여자친구 그리고 나의 열망의 비밀을. 어쩌면 존재하지 않을 아라사키에게 전하는 저 말은 나 스스로에게 던지는 말인가.

밖에서는 새하얀 눈이 떨어진다. 나도 떨어지는 새하얀 눈이 되었다.

유리로 된 그리폰

203X년대의 6월

나는 평소처럼 눈을 뜨고 일어났다. 아무런 꿈도 없이 그냥 저절로 일어나졌다. 나는 오늘도 살아있음에 감사함을 느끼고 아침 약을 먹었다. 꿀떡 하며 경쾌하게 넘어가는 알약들의 쏩쓸한 맛이 위에서 난동을 부리다 어느새 목 끝까지 올라왔다. 메스꺼운 속을 안정시키며 나는 침대에 기대어 후우 하며 바람을 한번 내쉬어 본다.

커튼이 하늘하늘 흔들린다. 거기서는 여름의 시작을 알리는 바람이 살며시 날아든다. 거기에 함께 나뭇잎 몇 개도 날아든다. 나는 힘겹게 몸을 일으켜 세워 나뭇잎에게 걸어갔다. 비틀비틀 움직이며 무릎을 굽히고 나뭇잎을 주웠다. 녹색 엽록소가 무척이나 아름답다고 생각되는 참이었다. 나는 그것을 태양에 살며시 가져다 대고는 눈으로 바라본다. 엽록소에 반사되고 비치는 여름의 프리즘은 마치 무척이나 밝았던 나의 청춘 같았다.

으음, 청춘이라면 언제였더라. 나는 자리에 풀썩 앉아서 바람을 맞으며 생각했다. 으으, 기억나지 않는다. 기억이라도 나면 좋을 텐데. 무척이나 슬퍼서 눈물이 조금

날 지경이었다. 어쩌다가 내가 이렇게 되어버렸지? 이건 확실하게 기억난다. 그건 202X년의 11월 이었다.

202X년대의 11월

　나는 평소처럼 학교를 빠져버렸다. 병원 진료가 예약되어 있었기 때문이다. 평소처럼 점심을 먹고 학교를 나와 경비 아저씨에게 조퇴증을 드리고 빠져나왔다. 그날은 무척이나 하늘이 맑아서 보기만해도 편해지는 날이었다. 겨울에 날카로운 바람을 스스로 맞아가며 나는 몸을 움츠렸다. 추우면 면역체계가 떨어진다는데 이거 위험한 거 아닐까 싶은 생각도 들었다. 오히려 병원에 갈거니까 차라리 아픈게 나을까 싶은 생각도 들었다. 뭐가 되었든 두 선택지 모두 좋지 못한 건 매한가지였다. 나는 혼자 피식 웃으며 집까지 걸어갔다.

　도로를 건너고 100미터정도 걸으면 나오는 문구점에서 나는 오른쪽으로 꺾는다. 그러면 얼마 안가 한의원과 편의점이나 나온다. 나는 편의점에 들어가 간단한 간식거리를 구매한다. 인간적으로 사탕을 먹지 못한다는 건 정말 괴로운 감각이었다. 어째서인지 나는 달달한 것을 먹지 않으면 무척이나 괴로운 고통이 머릿속에서 느껴져서 정말 살아 있을 수가 없다. 막대사탕 콜라맛과 사과맛, 라임맛을 각각

1종류씩 구매해서 주머니에 넣은 체 걸어갔다. 그렇게 걷다 보면 새롭게 만들어진 도로와 횡단보도가 보인다. 그곳에서 한참이나 기다리고 또다시 걸어가 횡단보도를 2개나 더 건넌다. 그쯤 되면 살짝 우중충한 공장지대가 나온다. 여름이면 매번 폭탄 터지는 소리가 들려오는 곳이다. 그런 공장지대에 아스팔트 길에는 쇳조각이 바닥에 잔뜩 뿌려져 있는데 그것은 수많은 시간에 걸쳐서 녹이 슬었고 그 주변도 산화철의 영향을 흠씬 받아버려 붉게 물들었다. 공장에서 느껴지는 쇠냄새도 독하여 이런 곳을 매번 돌아다니는 것도 고역이었다. 지금은 괜찮아졌다. 그렇게 한참이나 걸으면 빌라 몇 개가 나타난다. 나는 빌라의 숲 안쪽으로 깊게 들어가버린다. 그곳에서 ㄷ이라 적힌 빌라에 들어간다. 무척이나 기쁘다. 왜냐하면 집에 왔으니까.

집에 돌아온 나는 침대에 풀썩 누워 잠시 편안하게 쉬어 본다. 마지막으로 쉬어 본 게 언제였는지 기억도 안난다. 나, 무척이나 달려왔구나. 이제 1개월이면 졸업이네. 그런 생각을 하니 약간 씁쓸하여 쓴 미소를 지을 수밖에 없었다. 언제 까지고 나는 청춘에서 변하지 않고 싶다. 어머니가 오기 전까지 잠시 근처 바다로 떠날까. 나는 책상에 있던 폴라로이드와 두꺼운 양장 노트를 챙겨서 바깥으로 나왔다.

자전거 주차장에 있던 구형 산악 자전거를 챙겨 나는 바다로 향했다. 모든 짐은 앞에 걸려있는 바구니에 담아버렸다. 페달을 밟을수록 차가운 공기가 내 얼굴을 산뜻하게 긁고 지나간다. 무척이나 차가워서 따갑다고 느껴질 정도였다. 그러나 너무나 자유로운 감각 때문에 그리 싫지는 않았다. 가끔씩 페달을 밟으면 덜컹하면서 움푹 들어간 맨홀 뚜껑이 밟힌다. 참 재수도 없지. 그래도 그렇게 싫지는 않다.

40분을 자전거로 타고가면 근처에 있던 바다가 나온다. 겨우 자전거로 40분 거리지만 공장지대에서 이런 아름다운 자연이 나타나다니. 나는 자전거를 모래사장에 살짝 눕혀 두고 폴라로이드와 양장노트를 들고 왔다. 그리고. 찰칵. 자연의 사진을 찍어버린다. 다시금. 찰칵. 이번에는 나와 자연을 함께 찍었다. 4장은 더 찍어버렸다. 나는 활짝 웃으며 모래사장에 푹 앉아버린다.

"너만큼은 변하지 않았으면 해."

나는 그 말을 끝으로 집으로 돌아갔다. 아마 집에 가면 시간이 딱 맞지 않을까 싶었다.

집에 돌아온 나는 현관에서 엉덩이에 묻은 모래를 털어내고 집으로 들어갔다. 사용했던 폴라로이드는 꼼꼼히 책상 위에 놓아두고 양장노트도 그 옆에 놓는다. 머지않아 어머니가 돌아오셨다. 나는 다녀오셨냐고 물었고 어머니는 화답했다.

"응, 다녀왔어. 병원 가야지."

"네."

나는 어머니에 손을 잡고 병원으로 향했다. 그러나 그날은 유독 피곤한 날이었다. 아니, 평소에도 피곤하고 체중이 급격히 감소했었다. 그렇지만 나는 버티며 버스에 몸을 밀어 넣었다. 그러나 문제는 병원에 도착하고 일어났다. 내리기 직전 쇠망치로 머리를 후리는 고통이 일어나버렸다. 너무나 아파서 나는 말조차 할 수 없었다. 그리고 머지않아 갑작스럽게 몸이 굳으며 굴러 떨어졌다. 그리고 바닥에 머리를 부딪히며 정신을 잃었다.

내가 다시금 정신을 차린 곳은 병실이었다. 너무나 이질적이었고 새하얗게 생겨서는 이곳이 천국인 줄 알았다. 물론 내 감각은 천국이 아니었다. 내가 주위를 둘러보자 옆에 계시던 어머니는 눈시울이 붉어지시며 나를 끌어안았다. 나는 이게 무슨 일이야 싶었는데 이 이야기의 내막은 어머니가 말씀해 주셨다.

　나의 유전병 중에 간암이 있었다. 아버지 유전이다. 그리고 알게 모르게 간이 쇠약 해지며 간경화가 왔고 그것이 간암으로 발전. 간암은 머지않아 다른 장기에 퍼져버렸고 그 중 폐에 퍼져버렸다. 폐암은 곧 뇌를 망가트리고 뇌출혈이 일어났고 하필 그때 머리를 박아 정신마저 잃어버린 것. 다행히 병원 앞이어서 곧바로 입원하여 뇌압을 낮추고 혈액의 응고를 줄여서 지금은 그나마 움직일 수 있는 것이다. 나는 그렇구나, 정말 참 재수가 없구나 싶었다. 어머니는 한참이나 나를 부둥켜 안고 우셨다. 아마 다행이셨겠지. 자기 남편도 나와 똑같은 일을 당했을 테니까. 그리고 무서웠겠지. 똑같이 죽어버릴까 봐.

　"어머니, 그만 우셔요. 우는 표정이 얼마나 못생긴데. 활짝 웃어야 좀 나으니까 좀 웃으세요. 잘 살아 있잖아요."

그러나 모든 게 잘 풀리지는 않았다. 나는 간암 2기. 말이 2기지 사실상 시한부였다. 치료가 될까? 알 수 없다. 그저 나는 무의미하게 병실에 누워 시간을 보내야 했다. 그것이 나의 청춘이었다.

203X년의 6월

　풍성했던 머리카락은 더 이상 존재하지 않는다. 방사선 치료 때문에 전부 밀어버리고 치료의 후유증으로 몸은 눈에 띄게 허약 해졌으며 수척 해졌다. 그 누가 봐도 흔한 죽을 사람이었다. 나는 자리에 다시금 담담히 누워 어느 책을 펼쳤다. 그건, 내 유일한 청춘의 결실이었던 '문호 동아리'의 책이었다. 얼마나 읽었던가 이 책을, 그리고 얼마나 너희를 생각했는가. 한창 젊을 너희를.

202X년대의 3월

"우리, 책 만들자." 각 반을 걸어 다니며 나와 마음이 맞는 친구들에게 이렇게 말했다. 총 4명에게 말했다. 그리고 이 모두는 내 의견에 동의하며 우리는 동아리, 문호 동아리라는 이름의 서클을 만들었다. 그것은 이제 막 고등학교의 마지막을 시작하는 시기에 있던 일이었다.

그때는 막무가내로 소설가가 되고 싶었다. 내 책을 만들고 싶었다. 나와 청춘을 기록하고 싶었다. 절대 '변하지 않는' 청춘의 결실을 맺고 싶었다. 그렇기에 나는 나와 마음이 맞는 동아리 부원들을 선택했다. 김수성, 이병수, 윤경웅. 그리고 나 이규빈. 이렇게 4명이서 함께 글을 적었다. 그리고 서로의 글을 공유하고 서로를 피드백 하며 점차 책의 형태를 띄기 시작했다. 그러나 무척이나 순탄할 것 같았던 책 제작도 점점 갈수록 힘들어졌다. 경웅은 자신의 진로를 위해 우리의 서클에서 탈퇴해야 했고 우리는 경웅의 자리를 채우기 위해 미친듯이 글을 적어야 했다. 겨우겨우 완성한 원고를 편집하고 다시 적는 과정에서 작은 마찰이 생기기도 하였고 표지 제작도 밀려 있었으며 학업으로 인해 우리는 항상 위염을 달고 다닐 정도로 피곤에 물들어 있었다.

그러나 세상은 우리의 작품을 기다렸는지 결국 완성하기에 이르렀다. 책 '유리로 된 그리폰'을. 제목은 내가 적은 맨 마지막 작품이자 책의 마지막 이야기인 '유리로 된 그리폰'에서 따온 것이었다. 그리고 내가 무척이나 애정하고 아끼는 단편 소설이다. 내용은 굉장히 간단했다.

변하지 않고 무한히 영생하는 그리폰이 있었다. 그리폰은 무척이나 똑똑했고 인간을 좋아하여 학습을 하러 온 인간들에게 언제나 지식을 전수하는 선한 생물이었다. 그러나 그리폰이 병에 걸려버렸고 오늘 내일을 전전긍긍했다. 그가 병에 걸렸다는 슬픈 이야기가 들려오며 사람들은 그리폰을 보필했다. 그럼에도 그리폰의 병은 나아지지 않았고 결국에는 말했다.

"제발, 나를 죽여다오. 나는 나의 손으로 죽지 못하는 불사의 마법이 걸려있어."

사람들은 전부 그리폰을 죽이기를 거부하였지만 그때 어느 용감한 사람이 나서서 말했다.

"내가 자네의 소원을 들어주겠네."

그는 어느 유리 공예사였다. 그는 단칼에 그리폰에 목을 베었으며 사람들은 몇 날 몇일 동안 그의 시체 앞에서 눈물을 흘렸다. 그러던 도중 그리폰을 죽였던 공예사가 나타났다. 그리고 아주 거대한 유리로 만들어진 그리폰 동상과 함께 말이다. 그는 이렇게 말했다.

"우리의 변하지 않는 그리폰은 영원히 함께 할 것입니다."

그를 기리기 위해 만든 유리 조각상을 만든 것이었다. 그러면서 내가 제일 좋아하는 문장으로 끝난다.

유리로 된 그리폰은 분명 다른 세계에서 날고 있을 거다.

나는 이 책이 만들어지고 정말 수백 번 읽었다고 생각한다. 정말 그만큼 소중한 책이었으니까. 나의 변하지 않는 그리폰이었으니까.

203X년의 7월

　오늘도 재수 좋게 잘 살아있다. 그리고 한참이나 내릴 듯
한 비가 우수수 떨어졌다. 아무래도 장마가 시작한 듯했다.
이제는 정말 여름이다. 202X년의 어느 겨울, 나는 간암 2
기라는 판정을 받아버리고 더 이상은 살아남을 수 없다고
생각했다. 그런데도 이렇게 오랫동안 살아있다니. 이거 완
전 그리폰이다. 차라리 죽는 게 더 나을까 라고 요즘 따라
생각이 든다. 그러나 살아있어봐도 결국 모든 건 변해버렸
겠지. 나는 그것에 적응하기란 힘들겠지. 살지도 죽지도 못
하는 구나. 나는 씁쓸하게 혀를 굴리며 이리저리 생각을 해
봤다. 안정되는 빗소리 속에서 나는 눈을 감고 차분히 눈을
감았다. 어쩌면 다시는 일어나지 못할지도 모르는데 괜찮
아? 라고 내게 말을 걸어온다. 너는 누구냐. 너는 누구냐 말
이야. 나는 그리폰. 너만의 그리폰이다. 그런가, 그리폰인
가. 하하, 이것 참 오랜만이네. 변화하는 것이 두렵나? 응,
무척이나 두려워. 그러나 변하지 않는 것도 무척이나 두려
운 것이라는 걸 잊지 않아줬으면 하는 군. 어째서? 모두가

변하지 않는다면 새로운 내일이란 존재하지 않는 법이니까, 물론 변화를 받아들일지 그대로 남을지는 너의 선택이야. 그리폰은 뭘 선택할거야? 나는 선택할 수 없어, 왜냐면 나는 변하지 않는 그리폰이거든. 그렇구나. 아무튼 잘 선택해서 내일을 만들어 보도록해.

보기 좋게 눈이 뜨였다. 나는 살아있다. 변화하는 내일을 위해 살아있다.

203X년의 7월하고 몇일

나를 구경하러 온 어느 못난 놈들이 찾아왔다. 그건 바로 김수성과 이병수과 윤경웅이었다. 나는 그들이 어째서 찾아왔는지 물었다.

"그냥 보러왔다. 빡빡아."

"응, 별 이유는 없어. 그냥 보고 싶더라."

"빡빡이라니 말이 심할지도 몰라."

"아냐, 팩트잖아. 그냥 해." 나는 키득거리며 웃었다.

오래간만에 만난 외부인이라 나는 활짝 웃으며 말했다. 그들은 이 억수같이 내리는 비를 뚫어내며 도착한 듯 보였고 발목은 조금 젖어 있었다.

"밖에 비 많이 와?"

"많이 온다. 장마라서."

"헤에."

"안 힘드냐?"

"뭐가."

"병원에 있는거."

"밥도 나오고 나름 괜찮아. 다만 밖으로 못 나가는게 조금 그렇다."

"장마 끝나고 밖에 몰래 나갈까? 어떤데 규빈."

나는 호탕하게 웃으며 말했다.

"그거 좋다야! 수성아!"

"역시 바다가야겠지?"

"바다 좋다 수성아. 병수, 경웅도 올거지?"

"반드시 가야지."

우리는 그렇게 한참이나 떠들어대며 웃었다. 그날부로 나는 변하지 않으며 변화하는 걸 알았다. 하지만 내가 그것을 할 수 있을지는 모르겠다는 생각이 들었다. 뭐, 아무렇게나 되겠지.

나는 자연스레 알고있다. 나는 바다에 가지 못한다. 몰래 탈출하는게 불가능한 건 아니다. 내가 그전에 죽는다. 장마가 끝나기 전에. 아이들에게는 간암이 더 안 좋아졌다고 말하지 않았다. 그냥 간암 1기 정도라서 조금만 견디면 살아난다고 말했다. 나는 거짓말을 했다. 녀석들, 분명 내가 더 안 좋아졌다면 하면 이식하겠다고 난리를 칠거아니야. 물론 이건 내 망상이다. 어떤 누가 친구를 위해 간을 희생하겠어. 나는 웃음을 유지하며 이제 가보라고 말했다. 아이들은 알았다며 나중에 보자고 말했다.

덜컥.

문이 닫히자 고요한 정적이 찾아왔다. 그곳에는 빗방울만이 떨어지는 세계였고 나는 그곳에 누워있었다. 이 비가 그칠 때까지 나는 살아있을까? 나는 알 수 없다. 다시금 책을 펼쳐서 책이나 읽자. 오늘도 그리폰을 봐야지.

203X 7월하고 다른날

상태가 무척이나 안 좋아졌다. 아무래도 다른 곳에도 암이 퍼졌나보다. 무척이나 괴롭고 힘든 나날이 나를 조인다. 너무 아파서 숨도 안 쉬어진다. 의사와 간호사를 호출하여 마약성 진통제라도 받아본다. 방사선 치료도 받아본다. 그나마 괜찮아진다. 젠장, 약 없이는 살 수가 없다. 절망적이다. 차라리 죽는게 나을 정도다. 너무나 괴로워도 참아야 한다. 살아야 한다. 나는 바다를 가야만 해. 그렇게 나는 오늘도 나를 압박하며 강제로 견뎌본다. 차라리 편해지는 게 나을까.

내 소식에 어머니가 뛰어오셨다. 의사와 어머니는 한참이나 대화하더니 만 어머니의 표정이 새파랗게 질려 있었다. 아무래도 많이 심각 해졌나 보다. 두 분은 서로 병실을 나가서 대화하시더니 만 금새 어머니가 울상이 되어 들어오셨다. 나는 직감적으로 느꼈다. 아, 나는 이제 더 이상 살

방도가 없나 보다. 늘 준비하던 상태라 참으로 담담하게 받아들였다. 어머니는 내 표정을 보더니만 숨을 고르시더니 말하신다.

"장기기증을 받아야만 살 수 있다고 하시더라."

"그렇군요. 그런데 저는 어머니의 간을 받을 수 없어요. 어머니는 간을 떼시면 정말 위험하시잖아요."

어머니에게는 무척이나 괴로운 소리겠지. 자신의 자식이 아픈데 이식을 못한다니. 그래, 분명 내가 어머니의 상황이었어도 이렇게 눈물을 흘렸을거야. 어머니는 다시금 얼굴을 가리시고 한참을 우셨다.

몇일 뒤 내 친구들도 나를 보러 찾아왔다. 나는 사뭇 진지한 표정으로 아이들에게 말했다.

"나, 간암이 더 심해졌어. 신약개발이나 간이식 아니면 답이없나봐."

분위기는 싸늘하게 식어갔다. 그때, 수성이 말했다.

"내꺼 떼가라. 나랑 혈액형 다 똑같잖아. 나 심지어 건강하디."

유일하게 나와 혈액형이 똑같은 친구인 수성이 말했다. 그러나 나는 거절했다.

"미안, 받을 수 없네."

수성은 머리를 쓸어 올리며 살짝 짜증이 난 듯 말했다.

"그냥 받아."

나는 고개를 휘저었고 수성은 무척 화를 내며 말했다.

"그냥 곱게 받고 살아나라고. 왜 그러는거야."

"미안, 난 다시 살아나서 여태까지 변화한 세상을 받아들일 수 없어."

"그게 무슨 소리야?"

"우리가 가기로 했던 바다 알지? 거기는 이미 간척사업으로 사라졌어. 심지어 우리가 다니던 학교는 폐교했고 나는 아직 아무런 준비도 되어있지 않아 있어. 그리고 우리는 언젠가 죽게 될 운명인거야. 그리고 지금의 나는 몇일 안가 자연스레 떠나갈 일만이 남은거지."

"죽기전이 되니까 많이 미쳤구나? 진짜 존나 나약하네."

"미안하지만 난 나약한게 좋거든. 너희와 함께 본 풍경도 좋고, 같이 마시는 위스키는 더 좋아. 참 아쉽다. 내가 간이식을 못 받는 남자라서. 다들 미안."

"짜증난다. 그냥 돌아가자."

"야, 수성아 그래도 조금 있자."

"따라오라고."

"미안, 먼저 가볼 게 규빈. 꼭 살아있어야 해."

나는 그저 미소를 짓기만 했다.

돌아가버렸네. 나는 마지막으로 편지를 적었다.

이제 이 편지가 그들에게 닿는다면 좋겠어.

어느 못난 친구의 편지

어느 날 내 앞으로 편지가 흘러 들어왔다. 편지봉투에는 이규빈이라고 적혀 있었고 나는 그녀석이 결국 살아있다고 생각하며 눈물을 흘리며 편지를 펼쳤다.

미안해 수성. 나는 변화하는 세상을 받아들이기 힘들어. 너희는 분명 이해하지 못할 거야. 하지만 나는 이대로 살아나도 변함없는 지옥임은 틀림없어. 차라리 죽는게 편할지 몰라. 그래도 나는 너희를 무척이나 아껴. 너희가 나 대신해서 더욱더 잘 살아줬으면 생각해. 그게 내 결론이야.

내가 적은 마지막 작품인 유리가 된 그리폰 기억나? 그거 내가 제일 좋아하는 작품인데 내용은 다 알거라고 생각하고 적지 않을게. 아무래도 나는 그 책에 나오는 그리폰인가봐. 변화를 하지 않는 그리폰. 스스로 죽기를 선택한 그리폰인가봐. 너희한테는 무척이나 미안하다고 생각하고 있어. 같이 바다를 가기로 했는데 말이야. 병원을 탈출조차 하지 못했네. 참 씁쓸하다.

아무래도 나는 이제 이걸 끝으로 가봐야겠나봐. 슬슬 한계네.

함께 해줘서 고마웠어.

너희는 변화없이 있어줘서 진짜 고마웠고 나를 그때 그 청춘에 있게 해줘서 고마웠어.

소중했던 친구야.

너는 꼭 이 세상에서 살아줘.

소중한 머큐리씨에게

그러나 그곳에는 오히려 이제 한계라는 내용이 적혀 있었다. 이 썩을 자식. 이럴 거면 편지를 보내지 말라고. 나는 한참이나 목놓아 울어버렸다. 세상의 변화하지 못하는 어느 작은 그리폰에게 눈물을 흘렸다.

유리로 된 그리폰은 분명 다른 세계에서 날고 있을 거야.

후기

자신의 내면을 글에 담으며 -네드레-

짧은 단편 5개를 적으며 참 많은 생각이 들었습니다. 왜냐하면 저 모든 주인공들은 저의 모습을 바탕으로 적었거든요.

이별로 인한 고독은 어릴 적의 저를.

소름끼치는 꿈을 꾼 저의 모습은 일상적인 저를.

방황의 모습은 중학생 시절에 저를.

파멸적인 열망과 고뇌, 공포는 고등학생 시절에 저를.

변화의 두려움은 인간 네드레의 전체를 관통하는 것입니다.

사실 이 책을 만들 때는 막무가내였습니다. 정말 너무 막무가내로 책을 만들겠다는 일념으로 여태까지 습작을 적어왔죠. 그러나 그 사이에서 무언가 마음이 비어버렸습니다. 마치 어딘가 고장나버린 로봇과도 같았죠.

결국 책을 만들기로 결정하고 움직이기 시작한 시점에서도 무언가 불꽃과도 같은 열망이 솟아오르지 않았습니다. 필히 이건 열망의 종식이죠. 저를 즐겁게 해주던 글쓰기나 책읽기마저 저의 열정이나 열망을 다시 불러일으키기에는 무리가 있었습니다.

물론 글을 적는데 문제는 없었습니다. 그 과정도 물론 즐거웠습니다. 허나 그리 가볍기만 하지 않았습니다. 너무나도 무거운 철문이 바다에 빠져버린 기분이었습니다.

그 과정에서 저는 식어버리고 망가져버린 저를 발견했습니다. 그 시기에 여러가지로 열망이 사그라드는 일밖에 없었습니다. 그래서 저는 다짐했습니다. 이번 것만 적고 나는 그만 적어야겠다. 역시 책은 무리구나.

그래서 적었던게 1988년의 여름=1988년의 겨울이었습니다. 간단하게 적고 깔끔하게 끝낼 생각이었죠.

그런데 적을수록 무언가 글에 대한 열망이 솟아나는 겁니다. 그것이 절정을 찍었을 때가 1988년의 여름

=1988년의 겨울의 원본이 되는 1988년의 여름(판타지)를 다 적고 난 이후였죠. 초기 1988은 정말 못 적은 소설이었습니다. 그런데 적다 보니 이걸로 끝을 내고 싶지 않더라고요. 그래서 처음부터 싹 갈아엎고 제 모든 열망을 사용하기로 했습니다.

여태까지에 고뇌와 광기에 가까운 열망, 그리고 그 부작용과 미스터리. 극단적이며 잔잔한 문체, 더블 주인공이 들어가 들어간 글을 말이죠. 아마 제가 적은 글 중에서 제일 좋아하는 글이지 않을까 싶네요.

아무튼 인간의 내면, 자기 자신의 내면을 적다 보니 참 좋은 경험을 했습니다. 열망도 다시 솟아오르고 마음에 드는 작품도 생겼고.

그래서 드는 생각입니다. 아직 남은 기간동안 마지막 작품을 적는 게 어떨까 하고요.

좋게 본다면 두번째 작품을 적는 것이죠. 안 좋게 본다면 두번째 작품을 끝으로 이제 그만두겠다는 것이겠죠. 그런데 그만둔다고 뭐가 달라지겠습니까. 저는 원래부터 글을 적었던 사람도 아니잖아요?

그래서 다음 책은 무척 가벼운 글을 적고 싶습니다. 누구나 가볍게 읽고 잠시 쉬어가는 휴식. 짐노페디 1번과 같은 글이 좋겠네요.

물론 제 동료들이 하겠다고 해야 만들어지겠네요.

(웃음).

푸르른 청춘의 끝에서 -상수리-

성인이 되기까지 조금의 시간만을 앞둔 시점에서 즐거운 도전을 다시 마주하게 됐다. 이야기를 떠올리고 글을 쓰는 행위는 두근거리고 사랑스럽지만 동시에 너무나도 불안하다. 이것을 꿈으로 펼치고 살아가는 삶에 대해서는 크게 기대하고 있지 않지만 추억을 남긴다는 것 자체에 만족할 수 있다고 기대하고 있다.

책을 처음 만들자는 권유를 받았을 때, 시기라던가 실력에 자신이 없었기에 두려움이 있었다. 말로는 책을 쓰고 싶다고, 그걸로 살고 싶다고 이야기하고 다녔지만 실력도 노력도 없는 내가 진정으로 글을 쓰는 사람을 꿈꿔도 되는가 라는 고민을 했다. 꿈을 공유하는 친구들은 계속 성과와는 관계없이 새로운 도전을 하고 있었고 꿈을 공유하지 않는 친구들도 분명 나아가고 있는 것이 눈에 보였다. 주변이 나아가고 있는 것이 눈에 보이니 조급해지기도 했고 거기서 나온 두려움과 고민이었다.

책을 읽고 글을 쓰며 이 생각이 부질없다고 느낀다. 3학년을 지내며 보이지 않는 미래를 두려워하기 위해 현재를 소모하기만 하는 것은 포기하기로 했다. 지금의 내가 즐거운 것을 하다 보면 결국 내가 되어있겠지 라고 생각한다. 그것이 어떤 형태여도 살아갈 수 있겠지 라고 생각한다. 언젠가 훗날 내가 이 글을 읽는 다면 어떤 생각을 할지 기대된다. 지금 생각하는 것으로는 이 글을 통해서는 추억 회상이나 하면 좋겠다.

그렇지 않다고 해도 추억 회상으로 남을 수 있는 한 장면의 요소가 될 것이라고 믿으며 책으로 지금의 마음을 남겨본다.

글을 적어가는 자기자신에게 -뜻밖의 얼음나무-

처음 이 글을 쓸 때는 굉장히 고민이 많았다. 과연 이런 주제의 글을 쓰고도 내가 만족할 수 있을지, 이런 주제로 내가 글을 완결낼 순 있을지 등등 여러 고민이 있었다. 글을 쓰는 도중에도 글이 안 써질 때면 과연 이 주제로 끌고 가는 게 맞을 지 지금이라도 바꿔야 되는 게 아닌 지 고민했다. 그런데 완결하고 보니 그때 했던 고민들 모두 쓸데없는 고민이었던 것 같다. 개인적으로 굉장히 만족스러운 글이 완성되었고 미래의 나에게 좋은 경험이 되었고 이 글을 읽으시는 독자분들이 있으실지는 모르겠지만, 독자분들에게도 마음에 들었으면 좋겠다.